Alexandre Dumas

Les Trois Mou

Texte adapté par **Régine**

Rédaction : Sarah Negrel, Cristina Spano
Direction artistique et conception graphique : Nadia Maestri
Mise en page : Maura Santini
Recherches iconographiques : Laura Lagomarsino

Nouvelle édition : mars 2008

Crédits photographiques : Archives Cideb ; Giraudon/Bridegeman Art
Library : 4; Mary Evans Picture Library : 73.

Vous trouverez sur le site blackcat-cideb.com (espace étudiants et
enseignants) les liens et adresses Internet utiles pour compléter les dossiers
et les projets abordés dans le livre.
Tous les sites Internet signalés ont été vérifiés à la date de publication de ce
livre. L'éditeur ne peut être considéré responsable d'éventuels changements
intervenus successivement.
Nous conseillons vivement aux enseignants de vérifier à nouveau les sites
avant de les utiliser en classe.

Pour toute suggestion ou information la rédaction peut être contactée à
l'adresse suivante :
info@blackcat-cideb.com

CISQ
CISQCERT
TEXTBOOKS AND
TEACHING MATERIALS
The quality of the publisher's
design, production and sales processes has
been certified to the standard of
UNI EN ISO 9001

ISBN 978-88-530-0905-0 livre + CD

Printed in Croatia by Grafički zavod Hrvatske d.o.o., Zagreb

Sommaire

Le texte est intégralement enregistré.

 Ce symbole indique les exercices d'écoute et le numéro de la piste.

DELF Les exercices qui présentent cette mention préparent aux compétences requises pour l'examen.

Interview imaginaire

Je suis arrivée par le train jusqu'à Marly-Le-Roi. La rue qui mène au château est étroite, elle monte. C'est étrange, elle s'appelle avenue du Président Kennedy, et pourtant elle n'a rien d'une avenue... M'y voilà enfin ! Le parc à l'anglaise est bien entretenu et les façades de la demeure, entièrement sculptées, ont été dessinées par lui. Je frappe à la porte : on m'ouvre. Il est là, en chair et en os, devant moi. Sa carrure est gigantesque ; je suis frappée par ses cheveux crépus et ses lèvres gourmandes. C'est un géant. Je suis impressionnée et intimidée.

Portrait d'Alexandre Dumas père, XIXᵉ siècle, Charles A. P. Bellay.

Lui : Vous désirez ?

Moi : Je viens pour l'interview...

Lui : Ah, c'est vous ! Par ici... dans mon cabinet de travail.
(Ce « Ah, c'est vous ! », je ne sais pas comment l'interpréter : déception ou... ? Il m'introduit dans le salon mauresque aux murs ciselés et recouverts d'arabesques dorées, il paraît que le roi du Maroc lui-même a participé à sa restauration).

Moi : Monsieur Dumas, parlez-nous de votre vie.

Lui : Ma vie, c'est mon œuvre ; elle est comme moi, effervescente et passionnée, bouillonnante et rebondissante, faite d'actions extrêmes. Je ressemble à tous mes romans. Je suis l'aventure en personne, j'aime faire et défaire : regardez ce château, il a mangé toute ma fortune, on l'a vendu, j'ai dû m'exiler en Belgique. Alors, j'ai écrit pour regagner ce qui m'appartenait. Impossible de m'arrêter d'écrire : le jour, la nuit... pour de l'argent.

Moi : On m'a dit que vous aviez des nègres pour vous aider, est-ce vrai ?

(Il me sourit et regarde nonchalamment la statue d'un enfant noir avec un plateau, d'un goût plutôt kitsch... comme pour se justifier).

Lui : Ah, ah, des nègres, vous savez que c'est Balzac, un peu jaloux de mon succès de feuilletoniste, qui m'a surnommé ainsi ? Il y a pourtant une part de vérité dans ce qu'il a dit, puisque ma grand-mère était noire et travaillait dans une plantation... à Saint-Domingue... Des nègres ?... Bien sûr, Maquet [1], par exemple, et d'autres, ils m'aident dans mes recherches historiques, mais c'est moi qui finis. D'ailleurs, Michelangelo aussi avait bien ses nègres, alors...

Moi : Racontez-nous votre aventure napolitaine !

Lui : Ah ! Naples ! Des souvenirs inoubliables... J'admirais Garibaldi, le grand « condottiero ». Je l'ai accompagné dans ses batailles et il m'a récompensé... Je suis devenu conservateur des musées de Naples ! Mais l'histoire ne s'est pas bien terminée, après quelque temps, les Napolitains ne m'ont plus supporté et j'ai dû partir.

Moi : Vous avez eu du succès comme auteur de pièces de théâtre, mais surtout comme auteur de romans historiques. Est-ce que vous vous identifiez à certains de vos héros ? Dites-moi, entre d'Artagnan et vous, il y a peu de différence, non ?

Lui : C'est vrai, il est comme moi : il va au-devant des difficultés, il défie le destin, c'est un cœur noble, un idéaliste, il aime son roi et sait le servir, quitte à y laisser sa vie.

---

1. **Auguste Maquet** (1813-1886): collaborateur de Dumas qui l'a aidé dans ses recherches historiques et qui a rédigé de nombreux passages de ses romans.

Moi : Athos et Porthos vous ressemblent aussi ?

Lui : Oui, sous certains aspects. Et ce qui est intéressant c'est que les deux se complètent. Ils représentent la force, ils mordent la vie à pleines dents, ils aiment manger, boire et se battre naturellement... Ils ne sont jamais rassasiés. Par contre, je n'ai rien d'Aramis, mais il est ce que j'aurais aimé être : raffiné, courtois. Il agit avec cette distinction naturelle qui séduit si souvent les femmes.

Moi : Ces personnages, ont-ils réellement existé ?

Lui : Oui, tous... j'ai fait des recherches dans ce sens. D'Artagnan était effectivement capitaine des mousquetaires, c'est le seul qui ait conservé son véritable nom, Aramis s'appelait Henry d'Aramitz, Porthos, Isaac de Portau, et enfin Athos était un chevalier au nom pompeux : Chevalier Armand de Sillègue d'Athos... Et ça, ce n'est pas de la fiction !

Moi : Si vous deviez définir d'Artagnan, qu'est-ce que vous diriez de lui ?

Lui : Eh bien, je dirais que c'est le héros par excellence. Il brave seul les adversités.

Moi : Il a pourtant ses fidèles mousquetaires pour l'aider !

Lui : Bien sûr, mais c'est tout seul qu'il s'aventure en Angleterre et qu'il affronte ses ennemis. La mort ne lui fait pas peur, il se comporte comme un immortel.

Moi : Et que dites-vous de son côté Don Juan ?

Lui : Il aime les femmes, il aime se travestir pour les séduire, mais il n'a pas le cynisme du personnage de Molière, c'est un cœur pur.

Moi : Vous excellez dans le roman historique. Le filon historique est-il inépuisable ?

Lui : L'histoire, c'est une source infinie d'inspiration, pourquoi chercher ailleurs ? Scott [1] le savait, lui ! L'histoire, ce sont des

---

1. **Walter Scott** : (1771-1832) écrivain anglais, auteur d'*Ivanhoé* et de *Quentin Durward*. Il est considéré comme le père du roman historique.

Château de Monte-Cristo, demeure d'Alexandre Dumas, Port-Marly.

personnages qui font des guerres, qui organisent des complots, qui luttent, qui aiment ; et moi, j'ai simplement laissé aller ma plume, c'est elle qui m'a conduit dans ces aventures. C'est ainsi que sont nés *La Reine Margot, Le Comte de Monte-Cristo, La Dame de Monsoreau, Les Trois Mousquetaires, Joseph Balsamo, La Tulipe Noire, Vingt ans après* et bien d'autres encore. Plus de mille au total !

Moi : Vous n'exagérez pas un peu ? On a dit trois cents...

Lui : Oh, juste un peu... Mais être écrivain, c'est aussi exagérer...

Moi : Vous avez, entre autres, un fils à qui vous avez donné votre nom...

Lui : Oui, et il a aussi mon prénom. Et il écrit lui aussi, vous avez lu *La Dame aux camélias* ?

Moi : Oui, il y a longtemps... et je l'ai vu aussi à l'Opéra ! Ah ! *La Traviata* [1] ! Mais je dois vous quitter, je ne veux pas abuser de votre hospitalité. Puis-je avoir votre carte de visite pour mes lecteurs ?

---

1. **La Traviata** : opéra de Verdi s'inspirant de *La Dame aux camélias*.

En sortant, j'ai regardé une dernière fois le salon... Étrange salon, des objets de toutes les couleurs... Étrange personnage. Peut-être pourrez-vous, vous aussi, le rencontrer, si vous allez à Port-Marly !

Alexandre Dumas écrivain

(Villers-Cotterêts 1802 - Puys 1870)
Château de Monte-Cristo
Pavillon d'accueil, 78560 Le Port-Marly

Ouverture du 1er avril au 1er novembre :
tous les jours de 10h à 12h30 et
de 14h à 18h. Fermé le lundi.

Du 2 novembre au 31 mars :
ouverture le dimanche uniquement de 14h à 17h.
Visites commentées tous les dimanches à partir
de 14h30 jusqu'à 17h00.

Se renseigner
à l'Office de Tourisme de Marly-Le-Roi
au 01 30 61 61 35

Comment y arriver ?
SNCF [1] : Pans, gare Saint-Lazare, direction
Saint-Nom-la-Bretèche, arrêt à Marly-le Roi ;
prendre bus ligne 10, arrêt Les lampes.
RER [2] : jusqu'à Saint-Germain-en-Laye ;
prendre bus ligne 10, arrêt Les lampes.

1. **SNCF** : Société Nationale des Chemins de Fer.
2. **RER** : Réseau Express Régional.

Compréhension écrite

1 Lisez attentivement l'interview imaginaire, puis répondez aux questions.

1 Combien de romans Alexandre Dumas a-t-il écrit ?

2 Pourquoi Balzac a-t-il surnommé Dumas « nègre » ?

3 Pourquoi dit-on que Dumas avait des nègres ?

4 Quelle fonction Dumas a-t-il occupée à Naples ?

5 Où Dumas trouvait-il l'inspiration de ses romans ?

2 Cochez les affirmations exactes.

1 ☐ Dumas n'a écrit que des romans.

2 ☐ Dumas a eu un fils qui porte le même prénom que lui.

3 ☐ *La Dame aux camélias* est une œuvre de Dumas père.

4 ☐ D'Artagnan a vraiment existé, mais il n'était pas mousquetaire.

5 ☐ *La Traviata* est un roman.

Production écrite et orale

1 Alexandre Dumas était un homme timide et fragile. Êtes-vous d'accord avec cette affirmation ? Justifiez votre réponse en donnant des arguments.

2 Avec votre classe, vous voudriez visiter la maison d'Alexandre Dumas. Vous écrivez à l'Office de Tourisme de Marly-Le-Roi pour demander des renseignements. Précisez le nombre de membres du groupe, la date à laquelle vous désirez effectuer cette visite, et demandez les tarifs pour une visite guidée en français.

PROJET INTERNET

Le château de Monte-Cristo

Rendez-vous sur le site www.blackcat-cideb.com. Cliquez ensuite sur l'onglet *Students*, puis sur la catégorie *Lire et s'entraîner*. Choisissez enfin votre niveau et le titre du livre pour accéder aux liens du projet Internet.

A Cliquez sur la rubrique « Les Amis de Dumas » – « Le château de Monte-Cristo ». Lisez attentivement le texte, puis répondez aux questions.

▶ En quelle année, Dumas décide-t-il de faire construire la maison de ses rêves ?

▶ Comment la finance-t-il ?

▶ Comment s'appelle l'architecte qui l'a construite ?

▶ En quelle année, Dumas inaugure-t-il son château ?

▶ Pourquoi qualifie-t-on le château de « paradis terrestre » ?

▶ Où l'écrivain s'isolait-il pour travailler ?

▶ Que se passe-t-il le 22 mars 1849 ?

▶ Qui a sauvé le site du délabrement et en quelle année ?

B Sur le menu de droite, cliquez sur la rubrique « Dumas en images : La galerie du château ». Observez les photos, lisez les commentaires, puis répondez aux questions.

▶ Combien d'étages a le château ?

▶ Où peut-on apercevoir les initiales de Dumas ?

▶ Quelle devise Dumas a-t-il fait graver au-dessus de la porte d'entrée ?

▶ Qui a permis la restauration du salon mauresque ?

Avant de lire

1 *Les Trois Mousquetaires* est un roman historique qui se passe au XVIIe siècle. Pour ne pas vous sentir dépaysé, faites ce petit test...

1 Louis XIII était le fils
   a ☐ de Louis XIV et de Marie-Thérèse d'Autriche.
   b ☐ d'Henri IV et de Marie de Médicis.
   c ☐ de François 1er et de Claude de France.

2 Le cardinal de Richelieu s'appelait
   a ☐ Jean-Baptiste Colbert.
   b ☐ Concino Concini.
   c ☐ Armand Jean du Plessis.

3 La résidence du roi Louis XIII était
   a ☐ le château d'Amboise.
   b ☐ le château de Versailles.
   c ☐ le palais du Louvre.

4 Anne d'Autriche était la fille du roi
   a ☐ d'Espagne.
   b ☐ d'Angleterre.
   c ☐ de Hongrie.

5 La ville de La Rochelle se trouve sur
   a ☐ la Manche.
   b ☐ l'océan Atlantique.
   c ☐ la Méditerranée.

6 La Rochelle était une place de sûreté
   a ☐ protestante.
   b ☐ catholique.
   c ☐ bouddhiste.

2 Préparez-vous à suivre d'Artagnan et Milady dans leurs folles chevauchées à travers la France et l'Angleterre... Pour ne pas perdre leurs traces, voici une carte, avec les noms des villes qu'ils traversent. Tracez l'itinéraire de d'Artagnan en bleu et celui de Milady en rouge. Au fur et à mesure de votre lecture, dites ce qui se passe dans chaque ville.

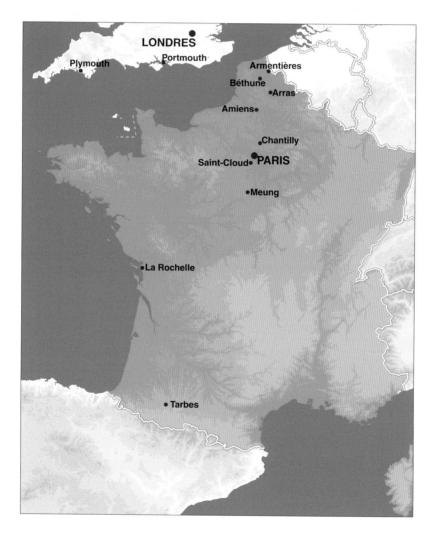

Un Gascon à Paris

Le premier lundi du mois d'avril 1625, un cavalier s'arrêta à l'auberge de la petite ville de Meung. C'était un jeune homme de dix-huit ans, presque un enfant encore. Il portait un vieux pourpoint [1] en laine, d'une couleur indéfinissable. Son visage long et brun, ses pommettes [2] saillantes, son regard vif et intelligent, tout indiquait en lui un Gascon. En effet, le jeune d'Artagnan arrivait de Tarbes et se dirigeait vers Paris, portant une lettre de recommandation à monsieur de Tréville, capitaine des mousquetaires.

— Va ! lui avait dit son père. J'ai eu l'honneur de connaître monsieur de Tréville dans ma jeunesse. Il n'a pas oublié son vieil ami. Place-toi sous sa protection !

D'Artagnan aurait pu chevaucher encore des heures, mais son cheval avait besoin de repos et de foin. Il décida donc de passer la nuit à Meung.

---

1. **Un pourpoint** : vêtement d'homme qui allait du torse aux cuisses.
2. **Une pommette** : partie supérieure de la joue.

Les Trois Mousquetaires

Pendant que des valets s'occupaient de sa monture [1], il entra dans l'auberge et s'assit à une table près de la fenêtre. Derrière les volets, un homme et une femme parlaient à mi-voix. D'Artagnan lorgna [2] à travers les fissures du volet. L'homme était habillé de noir et portait un large chapeau, qui lui cachait presque le visage. La femme devait avoir vingt-deux ans. Elle était jeune et belle ; ses longs cheveux blonds tombaient sur ses épaules, elle avait les yeux bleus, les lèvres roses, des mains d'albâtre.

— Ainsi, son Éminence m'ordonne..., disait la jeune femme.

— De retourner à l'instant même en Angleterre, Milady, et de la prévenir directement si le duc quittait Londres.

— Très bien, dit la belle inconnue. Je pars... le moindre retard peut tout gâcher !

— Adieu, Milady !

Elle monta dans un carrosse qui l'attendait. Le cocher fouetta ses chevaux, qui disparurent dans un nuage de poussière. L'homme, lui, sauta sur son cheval, et partit au galop dans la direction opposée.

D'Artagnan resta pensif... Son Éminence... Pouvait-il s'agir de Richelieu en personne ? Avait-il surpris sans le vouloir, un secret d'État, une obscure manœuvre du cardinal ?

Le lecteur doit savoir qu'en ce temps, la politique était loin d'être claire et limpide. Tout se tramait dans l'ombre, chacun doutait de chacun. Les seigneurs guerroyaient [3] entre eux, le roi surveillait le cardinal, le cardinal espionnait la reine, l'Espagne

---

1. **Une monture** : animal qui transporte un cavalier.
2. **Lorgner** : regarder, observer discrètement.
3. **Guerroyer** : faire la guerre.

Les Trois Mousquetaires

faisait la guerre au roi, l'Angleterre menaçait la France !

Le lendemain, d'Artagnan se remit en route dès l'aube. Il entra dans la cour de l'hôtel de monsieur de Tréville, qui se trouvait rue du Vieux Colombier. Il y trouva une agitation ordinaire. Une soixantaine de mousquetaires armés se promenaient par petits groupes. Des gentilshommes, venus solliciter quelque faveur, montaient et descendaient les escaliers ; ils croisaient des laquais [1], qui apportaient des messages de leurs maîtres. Le jeune d'Artagnan, ému, le cœur palpitant, traversa la cour au milieu de cette cohue [2]. Il se fraya un passage entre les mousquetaires qui tiraient l'épée par jeu. Dans l'antichambre, l'atmosphère était plus calme. Les épées rangées dans leurs fourreaux [3], les mousquetaires parlaient de femmes et d'intrigues de cour.

D'Artagnan se fit annoncer. En attendant d'être introduit auprès de monsieur de Tréville, il s'approcha de trois mousquetaires qui parlaient avec animation. L'un deux, que les autres nommaient Porthos, était grand et hautain. Il portait avec affectation un costume bizarre, qui attirait sur lui l'attention générale. Son justaucorps bleu ciel était recouvert d'un baudrier [4] magnifique, en broderies d'or, et d'un long manteau de velours rouge.

— Oui, je sais, disait-il en se pavanant [5], c'est une folie, mais c'est la mode, n'est-ce pas, Aramis ?

---

1. **Un laquais** : domestique.
2. **Une cohue** : foule confuse, désordonnée.
3. **Un fourreau** : étui où l'on replace l'épée.
4. **Un baudrier** : bande de cuir qui se porte en bandoulière et qui soutient l'épée.
5. **Se pavaner** : marcher en se faisant admirer.

Son compagnon répondit par un signe de tête affirmatif. Aramis semblait aussi doux et délicat que Porthos était arrogant et vaniteux. D'autres affaires, bien plus graves que la mode, l'occupaient.

— Savez-vous, demanda Porthos avec mépris, que l'on raconte que le cardinal fait espionner certains gentilshommes ? Qu'il fait ouvrir leur correspondance ? Qu'il fait surveiller les dames de compagnie de la reine ?

— Oui, dit le troisième, qui se nommait Athos. Tout cela est bien triste pour le royaume de France.

Athos était le plus âgé des trois, il devait avoir trente ans. Réservé, pondéré, un voile de tristesse ne quittait jamais son regard.

— Si seulement la reine pouvait donner un héritier au roi ! soupira Aramis.

— À ce propos, on dit que le duc de Buckingham est à Paris ! s'exclama Porthos, chargeant cette remarque de sous-entendus.

— Porthos ! Parlez bas ! Il serait malvenu de vous faire entendre ! le réprimanda [1] Athos.

Mais un valet appela d'Artagnan pour l'introduire chez monsieur de Tréville. L'entretien fut cordial : le jeune d'Artagnan parla de son père. Cela évoquait pour le capitaine des mousquetaires des souvenirs d'une jeunesse lointaine. Il promit de recommander d'Artagnan à son beau-frère, monsieur des Essarts, pour le faire entrer dans sa compagnie. Et il laissa espérer au jeune provincial qu'il porterait un jour l'uniforme des mousquetaires.

---

1. **Réprimander** : faire un reproche.

Les Trois Mousquetaires

Le jeune homme sortit de cette entrevue ému et joyeux, pressé de se présenter au capitaine des Essarts. Il traversa l'antichambre en trois bonds, descendit les escaliers quatre à quatre. Il heurta un mousquetaire qui poussa un cri.

— Excusez-moi, dit d'Artagnan, je suis pressé !

Il voulut reprendre sa course, mais une main de fer l'arrêta. C'était Athos.

— Vous êtes pressé ? Vous croyez qu'il suffit de dire « excusez-moi ! » ? Vous n'êtes pas poli, monsieur ! On voit que vous venez de loin !

À ces mots, le jeune provincial se sentit blessé dans son orgueil.

— Ah ! s'écria-t-il menaçant. Si je n'étais pas pressé... !

— Eh bien, dit l'autre, vous me trouverez sans courir !

— Où cela, s'il vous plaît ?

— Près des Carmes-Deschaux, à midi.

— J'y serai !

D'Artagnan reprit sa course. Dans l'embrasure [1] de la porte, Porthos était en train de parler avec un autre mousquetaire. D'Artagnan passa entre les deux causeurs. Mais le vent souleva le long manteau de Porthos, y emprisonnant d'Artagnan.

— Vertubleu ! hurla Porthos en essayant de se débarrasser de l'intrus. Vous êtes enragé !

— Excusez-moi, répondit d'Artagnan, encore prisonnier du manteau, mais je suis pressé.

— Pressé !

---

1. **L'embrasure** : ouverture de la porte.

Porthos, en colère, lui cria :

— À une heure, derrière le Luxembourg !

— J'y serai !

D'Artagnan reprit son chemin, plus posément cette fois-ci.

« Eh bien, se dit-il, je ne sais pas si je serai un jour mousquetaire... Mais au moins, si je suis tué, je serai tué par un mousquetaire ! »

Compréhension écrite et orale

1 Écoutez attentivement l'enregistrement du chapitre, puis dites si les affirmations suivantes sont vraies (V) ou fausses (F).

		V	F
1	L'histoire commence en 1635.	☐	☐
2	Le héros de cette histoire s'appelle d'Artagnan.	☐	☐
3	Il va de Paris à Tarbes.	☐	☐
4	Il s'arrête dans une auberge à Melun.	☐	☐
5	Il entend une conversation mystérieuse entre deux femmes.	☐	☐
6	C'était une période de troubles et de complots.	☐	☐
7	À Paris, d'Artagnan doit rencontrer Richelieu.	☐	☐
8	D'Artagnan voudrait devenir mousquetaire.	☐	☐
9	D'Artagnan est provoqué en duel par Athos, puis par Aramis.	☐	☐

2 Lisez le chapitre, puis faites le portrait des trois mousquetaires et de d'Artagnan à l'aide des adjectifs proposés.

> impulsif sage arrogant réservé
> délicat enthousiaste insolent hautain
> discret pondéré vaniteux

Athos	Porthos	Aramis	D'Artagnan

3 **La reine Margot est l'héroïne d'un célèbre roman de Dumas. Lisez le texte, puis cochez les bonnes réponses.**

Le XVIe siècle français est marqué par les guerres d'Italie, mais surtout par les guerres de religions. C'est ce climat qu'Alexandre Dumas a particulièrement bien réussi à retracer dans son roman *La reine Margot*. Marguerite de Valois, appelée aussi la reine Margot, est la fille de Catherine de Médicis et d'Henri II. Elle est extravagante, pleine de vie et adore s'amuser. Pour des raisons politiques, sa mère l'oblige à épouser, en 1572, Henri de Navarre qui deviendra par la suite Henri IV. Elle accepte mal cet époux protestant et ne veut en aucun cas vivre avec lui. Dans la nuit du 23 au 24 août 1572, Henri de Navarre échappe de justesse au massacre de la Saint-Barthélemy, pendant lequel de nombreux Huguenots sont tués, et retourne sur ses terres. Plus tard, en 1583, Henri III, frère de la reine Margot, fatigué par l'attitude libertine de cette dernière, la chasse de la cour. Après la mort du roi, le futur Henri IV demande et obtient l'annulation de son mariage en 1599 et épouse Marie de Médicis. Margot mourra seule en 1615.

1 Les événements racontés ont lieu au
   a ☐ XVe siècle.   b ☐ XVIe siècle.   c ☐ XVIIe siècle.

2 La Reine Margot est Marguerite de
   a ☐ Valois.   b ☐ Savoie.   c ☐ France.

3 Margot est la fille
   a ☐ d'Henri II et de Marie de Médicis.
   b ☐ d'Henri II et de Catherine de Médicis.
   c ☐ d'Henri III et de Catherine de Médicis.

4 En 1572, elle épouse le futur
   a ☐ Henri II.   b ☐ Louis III.   c ☐ Henri IV.

5 Le nom de son mari est aussi Henri
   a ☐ de Plantagenêt.   b ☐ l'Hérétique.   c ☐ de Navarre.

6 Son mari est
   a ☐ protestant.   b ☐ hérétique.   c ☐ anglican.

7 Le massacre des Huguenots à Paris a eu lieu la nuit de la

a ☐ Saint-Henri. b ☐ Saint-Barthélemy. c ☐ Saint-Guy.

8 En 1583, Margot est

a ☐ chassée de la cour par son frère.

b ☐ tuée par son père.

c ☐ abandonnée par son mari.

9 En 1599, Henri IV

a ☐ obtient l'annulation de son mariage.

b ☐ épouse la reine Margot.

c ☐ obtient le divorce d'avec la reine Margot.

10 La reine Margot meurt en

a ☐ 1615. b ☐ 1625. c ☐ 1630.

Grammaire

Les particularités du comparatif d'infériorité et de supériorité

• Devant un nombre, on utilise **plus de / moins de.**
*Il y a **plus de** 1 000 mousquetaires à l'entrée du palais.*

• On utilise :
meilleur que pour dire « plus bon que » (comparatif qualitatif) ;
mieux que (comparatif d'action) ;
pire ou **pis que** (comparatif qualitatif / comparatif d'action) pour dire
« plus mauvais que » ;
moindre pour dire « plus petit ».
*Athos est **meilleur qu'**Aramis, il se bat **mieux que** lui.*
*Pour d'Artagnan, la réalité est **pire que** ce qu'il avait imaginé.*
*Le **moindre** retard peut tout changer...*

• On utilise **majeur** et **mineur** uniquement dans un langage
géographique, ecclésiastique, juridique ou musical.
*La symphonie en do **mineur***
*Les ordres **mineurs** de l'Église*

• On utilise :
plus âgé et **moins âgé** si l'on considère l'âge d'une personne ;

aîné pour indiquer le premier enfant d'une famille ;
cadet pour indiquer le deuxième enfant ;
dernier-né pour indiquer le dernier enfant.

Richelieu était le **cadet***, il était destiné aux armes. Son* **aîné***, plus âgé que lui d'un an, n'a pas voulu accepter l'évêché de Luçon et le futur cardinal a donc dû renoncer à la carrière militaire.*

Attention ! Après la locution comparative **plus que** ou **moins que** introduisant une phrase, on doit utiliser l'indicatif et le **ne** explétif :

La mission de d'Artagnan est plus dangereuse qu'il **ne** *(le)* **croit.**
Les gardes du cardinal sont moins habiles qu'on **ne** *(le)* **pensait.**

① Formez des comparatifs à partir de ces éléments.

1   René / orgueilleux / Robert
2   Le cheval / aller vite / le carrosse
3   Léa / jeune / Yvonne
4   Athos / gros / d'Artagnan
5   Espagne / grande / Angleterre
6   Marine / intelligente / Sarah

② Établissez des comparaisons entre ces trois films.

1   Sur leur heure de programmation (utilisez les adverbes *tôt* ou *tard*...).
2   Sur leur durée.
3   Sur leur date de sortie (utilisez l'adjectif *récent*).

20h00 **MARIE-ANTOINETTE**	20h35 **ANGÉLIQUE ET LE ROY**	20h40 **MERVEILLEUSE ANGÉLIQUE**
Film historique franco-italien de Jean Delannoy (1956) 1h55. Avec Michèle Morgan, Richard Todd, Jacques Morel. En 1744, Marie-Antoinette, épouse du Dauphin, lourd et maladroit, s'amuse seule et incognito, au bal de l'opéra. Elle y rencontre le comte de Fersen qui lui voue le plus indéfectible amour.	Film d'aventures français de Bernard Borderie (1966) 1h45. Avec Michèle Mercier, Robert Hossein, Sami Frey. Philippe de Plessis-Bellières meurt à la guerre. Sa veuve, Angélique, se retire sur ses terres, mais Louis XIV l'appelle à la cour.	Mélodrame historique de Bernard Borderie (1964) 1h45. Avec Michèle Mercier, Claude Giraud, J.-L. Trintignant. Sous le règne de Louis XIV, Angélique s'est réfugiée à la cour des Miracles sous la protection de Nicolas, son amour de jeunesse...

Enrichissez votre **vocabulaire**

1 Relevez dans le chapitre, les mots et les expressions qui reflètent la réalité historique de l'époque.

2 Replacez dans le tableau les mots proposés.

> un laquais   un garde   un pourpoint   un fourreau
> un valet   une compagnie   une livrée   un cocher   un uniforme
> un serviteur   un capitaine   un baudrier   un carrosse
> un justaucorps   une épée   un mousquetaire

Domestiques	Militaires	Habits ou accessoires

3 Dites si les affirmations suivantes sont vraies (V) ou fausses (F).

	V	F
1 La livrée est l'uniforme porté par les mousquetaires.	☐	☐
2 Le laquais conduit les carrosses.	☐	☐
3 Le valet est un domestique.	☐	☐
4 Le baudrier soutient l'épée.	☐	☐
5 Le cocher suit son maître à pied.	☐	☐
6 Un mousquetaire est un moine.	☐	☐
7 Le pourpoint est une culotte.	☐	☐
8 On range l'épée dans un fourreau.	☐	☐

Avant de lire

1 Les mots suivants appartiennent au champ lexical de l'escrime. Associez chaque expression à l'image correspondante.

a croiser les épées   **c** se mettre en garde
b se fendre   **d** toucher

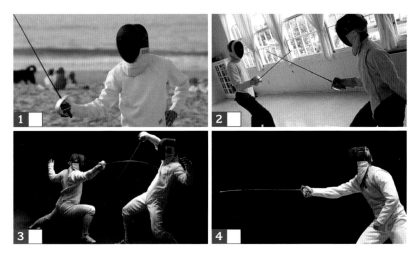

2 Les mots ou expressions soulignés sont tirés du chapitre 2. Associez chaque mot ou expression à sa signification.

1 ☐ Il <u>trame</u> contre la reine.

2 ☐ Il veut <u>compromettre</u> la reine.

3 ☐ Puis-je vous <u>confier</u> un secret ?

4 ☐ Il <u>se dissimula</u> sous une porte cochère.

5 ☐ Vous pouvez nous <u>perdre</u> !

6 ☐ Si vous voyez quelqu'un nous <u>épier</u>...

a Espionner.

b Préparer un piège.

c Mettre quelqu'un dans une situation difficile pour lui faire perdre sa réputation.

d Se cacher.

e Dire à quelqu'un une information confidentielle.

f Créer des problèmes à quelqu'un.

CHAPITRE 2

Les Mousquetaires du roi

À midi battant, d'Artagnan arriva aux Carmes-Deschaux, où
Athos l'attendait pour se battre en duel.

— Monsieur, lui dit-il, le chapeau à la main, j'ai fait prévenir deux de mes amis, qui me serviront de seconds. Mais ils tardent...

— Je n'ai pas de second, moi, monsieur, répondit d'Artagnan. Je ne suis arrivé qu'hier à Paris, et je ne connais que monsieur de Tréville, à qui mon père...

Mais Athos l'interrompit :

— Voici mes témoins !

— Comment ! Monsieur Porthos est votre témoin ?

— Mais oui, avec monsieur Aramis. Vous ne savez donc pas qu'Athos, Porthos et Aramis sont inséparables ?

En voyant d'Artagnan, Porthos ne put cacher sa surprise :

— Mais nous n'avons rendez-vous qu'à une heure ! Que faites-vous ici ?

— C'est avec monsieur que je me bats ! dit Athos, en désignant d'Artagnan.

— Et moi aussi, dit Porthos !

— Eh bien, monsieur, dit d'Artagnan à Porthos, je vous dois mes excuses...

— Quoi ? Vous renoncez à vous battre ? Seriez-vous un lâche [1] ?

— Que non ! Mais si je suis tué au premier duel, je ne pourrai me battre avec vous !

Et il se mit en garde, prêt à affronter son premier adversaire. Athos fit de même. Ils venaient de croiser leurs épées, quand une escouade [2] de gardes arriva.

— Holà ! cria le commandant. On se bat ! Les duels sont défendus. Rengainez, s'il vous plaît, et suivez-nous, au nom de son Éminence !

— Nous appartenons au roi, monsieur ! répondit fièrement Athos. Nous ne recevons pas d'ordres des gardes du cardinal !

— Messieurs, nous sommes cinq, vous n'êtes que trois ! Rendez-vous et suivez-nous !

D'Artagnan, qui était resté en retrait, s'avança et se plaça à côté des trois mousquetaires.

— Monsieur, dit-il au garde, vous vous trompez ! Nous sommes quatre !

Porthos le regarda avec surprise :

— Mais vous êtes un enfant ! Vous n'êtes pas mousquetaire !

— Cela est vrai, répondit d'Artagnan. Je n'ai pas l'habit, mais mon cœur est mousquetaire !

— Alors, faisons honneur aux mousquetaires du roi ! trancha [1] Porthos. En garde, messieurs !

1. **Lâche** : pas courageux.
2. **Une escouade** : petite troupe.

Les Trois Mousquetaires

Les combattants se précipitèrent les uns sur les autres. D'Artagnan se battait comme un tigre en fureur. Agile, il surprenait à tout moment ses adversaires. Il parait toutes les attaques, se fendait à fond pour mieux toucher. À la fin du combat, un garde resta à terre, mort. Les autres, blessés, se retirèrent. Les trois mousquetaires, heureux, félicitèrent d'Artagnan.

— C'est vrai, reconnut Aramis. Vous avez le cœur d'un mousquetaire ! Soyons amis !

— Alors, dit d'Artagnan, tous pour un, un pour tous ! Ce sera notre devise !

Et il tendit la main. Les trois mousquetaires firent le même geste et répétèrent d'une seule voix :

— Tous pour un, un pour tous !

À partir de cet instant, les quatre hommes devinrent inséparables. Chacun savait à tout moment où étaient les autres, et dès que leur service leur laissait un moment de liberté, ils se retrouvaient. On les connaissait dans tous les cabarets et les auberges de Paris, où le meilleur vin leur était réservé. Si l'un, à court de pistoles [2], ne savait comment se procurer le dîner, les autres l'invitaient : ce qui appartenait à l'un appartenait aussi aux autres. Désormais dans Paris, on ne citait jamais d'Artagnan sans citer Athos, Aramis et Porthos.

Un jour qu'il était chez lui, d'Artagnan entendit un grand bruit. Quelqu'un criait dans l'appartement du dessous :

— Au secours, à l'aide !

« Mais c'est une femme ! On frappe une femme ! Misérables ! »

---

1. **Trancher** : ici, interrompre, mettre fin à une discussion.
2. **Une pistole** : ancienne monnaie d'or.

Les Trois Mousquetaires

L'épée au poing, il se précipita dans l'escalier. Quelques minutes plus tard, trois hommes vêtus de noir s'enfuyaient dans la rue !

Une jeune femme, évanouie, reprenait peu à peu des couleurs. Elle tendit les mains à son libérateur, elle avait le plus charmant sourire du monde.

— Mais qui êtes-vous ? Que voulaient ces hommes ?

— Je m'appelle Constance Bonacieux. Je dois aller au Louvre ! Je dois voir la reine !

— Aller au Louvre ? Voir la reine ? Pourquoi ?

— Je suis lingère [1], fidèle servante de sa Majesté... Le cardinal...

— Le cardinal, la reine... ? Expliquez-vous donc !

— La reine a peur... mais puis-je vous confier de tels secrets ? Laissez-moi aller au Louvre !

Elle levait vers d'Artagnan ses beaux yeux de braise.

— Confiez-moi votre secret. Sur mon honneur de gentilhomme, je vous promets de ne le révéler à personne et de vous aider.

— La reine croit qu'on a écrit à monsieur le duc de Buckingham en son nom pour l'attirer dans quelque piège.

— En son nom ?

— Oui. Le duc brûle d'amour pour notre reine, et sur un mot de sa part, il serait prêt à affronter tous les dangers.

— Mais qui peut faire cela ?

— Le cardinal... Il trame contre la reine... Il n'aime pas Buckingham... Il veut faire venir le duc à Paris pour l'arrêter et compromettre la reine. Les hommes qui m'ont frappée sont des hommes du cardinal. Ils voulaient me faire parler. Je dois aller au Louvre, je dois avertir la reine !

---

1. **Une lingère** : dans une grande maison, personne qui fournit le linge et qui s'occupe de son entretien.

— Laissez-moi faire ! Mais ces hommes peuvent revenir ! Il faut vous cacher ! Suivez-moi !

D'Artagnan conduisit Constance chez Aramis. Il la pria de ne pas sortir, de n'ouvrir à personne, sauf à lui.

Son cœur et son esprit étaient occupés par la charmante Constance. Le soir, l'envie de la revoir le conduisit vers la demeure d'Aramis. Il levait les yeux vers les fenêtres, l'imaginait derrière les rideaux. Il en était à ses tendres rêveries, quand il entendit des pas. Il se dissimula sous une porte cochère [1].

Une jeune femme passa, accompagnée d'un homme qui portait un costume de mousquetaire.

— Mais c'est elle ! Constance Bonacieux ! Avec un homme !

Il se mit en travers du chemin...

— Au nom du ciel ! s'écria Constance.

— Où allez-vous ? Et votre promesse de ne pas sortir ?

— Je dois accompagner Milord, duc de Buckingham, au Louvre. Vous avez tout découvert. Vous pouvez nous perdre, et avec nous, sa Majesté la reine ! Si vous avez un peu d'amitié pour moi...

D'Artagnan était confus. Aux derniers mots de Constance, il s'inclina devant le duc :

— Milord ! Je demande pardon à Votre Grâce ! Dites-moi ce que je peux faire pour vous.

— Vous êtes brave. Eh bien, marchez derrière nous, à vingt pas, jusqu'au Louvre. Et si vous voyez quelqu'un nous épier, tuez-le !

---

1. **Une porte cochère** : grande porte qui donne sur la rue et qui permet l'entrée d'une voiture.

Compréhension écrite et orale

1 Écoutez attentivement l'enregistrement du chapitre, puis associez chaque fin de phrase à son début.

1. ☐ D'Artagnan ne se bat ni contre Athos ni contre Porthos
2. ☐ Les gardes interrompent le duel
3. ☐ Des hommes ont agressé Constance
4. ☐ Le duc de Buckingham est à Paris
5. ☐ Constance veut voir la reine
6. ☐ D'Artagnan emmène Constance chez Aramis
7. ☐ D'Artagnan se met en travers du chemin de Constance
8. ☐ Il accompagne Constance et le duc de Buckingham au Louvre

a. parce qu'ils veulent la faire parler et lui faire révéler des secrets sur la reine.

b. parce que des gardes interrompent le duel.

c. parce qu'il a reçu un billet au nom de la reine.

d. parce qu'il veut savoir pourquoi elle est sortie.

e. parce qu'elle est en danger et doit se cacher.

f. parce qu'il est interdit de se battre.

g. parce qu'il est dévoué à la reine.

h. parce qu'elle doit la mettre en garde.

2 Relisez le chapitre, puis répondez aux questions.

1. Contre qui d'Artagnan doit-il se battre en duel ?
2. Qui remporte le combat : les mousquetaires ou les gardes ?
3. Quelle est la devise des mousquetaires ?
4. Qui est Constance Bonacieux ?
5. À qui d'Artagnan demande-t-il pardon ?
6. Que doit faire d'Artagnan si quelqu'un épie Constance et le duc ?

La France
au début du XVIIe siècle

L'assassinat du roi Henri IV laisse la France complètement désemparée : l'équilibre que ce monarque a réussi à établir avec l'édit de Nantes se brise tout à coup. La haine entre les factions catholiques et protestantes reprend de plus belle. Marie de Médicis, la veuve d'Henri de Navarre, méprisée des Français et détestée des Protestants, ne peut ni par son charisme ni par son pouvoir rassembler ce peuple divisé par des querelles séculaires. Quand elle assume la régence, le futur Louis XIII n'a que neuf ans.

Marie de Médicis
(Florence 1573 - Cologne 1642)

Marie ne possède nullement la lucidité de Catherine de Médicis (célèbre aussi pour la nuit de la Saint-Barthélemy) qui l'a précédée sur le trône de France. Son époux Henri IV n'a rien fait pour que son séjour soit agréable. Bien au contraire, on raconte même que le soir de ses noces, le roi lui a imposé une rivale : la fameuse Gabrielle d'Estrées. Ses colères et ses jalousies ne sont guère appréciées à la cour. En outre, la « grosse banquière », comme on l'a surnommée, est mal conseillée par sa sœur de lait Léonora Galigaï qui profite de sa position pour faire nommer son mari Concino Concini « maréchal d'Ancre » et se débarrasser de tous les vieux ministres d'Henri IV. En 1614, la convocation des états généraux finit par ébranler tout à fait sa crédibilité. Lors de l'assassinat de Concini, ordonné par Louis XIII en 1617, Marie de Médicis entre en conflit direct avec le roi. Plus tard, c'est elle qui introduit le cardinal de Richelieu à la cour, mais elle ne trouve pas en lui le soutien espéré. Elle est contrainte de s'exiler à Bruxelles, à Londres, puis à Cologne, où elle meurt à l'âge de soixante-sept ans.

Armand Jean du Plessis, cardinal de Richelieu (Paris 1585 - 1642)

Le physique de cet homme d'église trahit à tout instant sa véritable nature : tout d'abord destiné aux armes, il a dû renoncer à ses aspirations pour entrer dans les ordres et garder ainsi l'évêché de Luçon que son frère lui a abandonné. La tête haute, c'est ainsi qu'il affronte ses adversaires et il faut bien le dire, il en a beaucoup ! Déjà à Rome, sa grande intelligence et sa facilité verbale lui créent bien des ennuis. Délégué aux états généraux, en 1614, la reine mère le remarque et le nomme secrétaire d'État. Quand Marie de Médicis tombe en disgrâce, Richelieu l'accompagne dans son exil. Plus tard, il intervient auprès du roi pour réconcilier la mère et le fils. C'est alors qu'il devient ministre de Louis XIII. Son œuvre tout entière est consacrée au renforcement du pouvoir royal et à l'hégémonie de la France. Il mène une bataille sur plusieurs fronts.

À l'extérieur du pays, où il a su, grâce à des mariages habilement préparés, obtenir l'appui de certaines puissances pour en combattre d'autres, accordant ainsi à la France une place importante en Europe. On compte parmi les ennemis jurés de la France : l'Angleterre et l'Espagne à qui Marie de Médicis avait demandé de l'aide pour prendre le pouvoir.

À l'intérieur du pays, où il lutte contre les nobles, désireux d'imposer leur force, et contre les Huguenots, auxquels il ne laisse d'autre choix que d'accepter la paix d'Alès (1629), qui confisquait pratiquement tous les biens des protestants tout en leur laissant la liberté de culte.

Portrait équestre de Marie de Médicis, XVIe siècle, École française.

Dans le monde des lettres, avec la création de l'Académie française en 1635, une sorte de « superviseur » de toutes les œuvres publiées.

Avec Louis XIII il a des rapports difficiles, mais on sait qu'il désire avant tout que le roi devienne un grand monarque. Il sent constamment le besoin de tout contrôler – aussi a-t-il disséminé en France, mais surtout à la cour, nombre de ses espions – et de livrer une lutte sans merci contre tous ceux qui osent s'opposer à lui. Pourtant, quand Richelieu meurt, Louis XIII est fort affligé et regrette malgré tout l'homme et l'habile politicien qu'il était.

Louis XIII
(Fontainebleau 1601 - Saint-Germain-en-Laye 1643)
Il épouse Anne d'Autriche qui lui donne deux fils : le futur Louis XIV et Philippe d'Orléans. Il prend véritablement le pouvoir quand il organise l'assassinat de Concini et supplante sa mère en 1621. On a cru longtemps qu'il vivrait dans l'ombre de son ministre Richelieu. Pourtant, on sait de source sûre que jamais ce dernier ne prend de décision sans l'interpeller ou le consulter et que les discussions sur la politique étrangère ou intérieure les trouvent souvent d'accord. Aux espions de son ministre, il oppose ses gardes, les mousquetaires, composés de deux compagnies formant les troupes de la Maison du Roi, les mousquetaires gris et les mousquetaires noirs, selon la couleur de leurs chevaux, fidèles jusqu'à la mort. Et même si l'un surveille souvent l'autre de très près, Louis XIII est toujours solidaire de Richelieu qu'il défend envers et contre tous. Ce n'est certainement pas un hasard s'il meurt six mois après son ministre.

Louis XIII couronné par la Victoire, 1636, Philippe de Champaigne.

Le siège de La Rochelle
(1628)

Cette ville, appelée aussi la Rebelle, est d'une importance fondamentale pour l'économie française du XVIIᵉ siecle, car c'est le trait d'union entre la France et le Nouveau Monde. Mais sa puissance est telle qu'elle désire conserver son indépendance, acquise depuis l'époque d'Aliénor d'Aquitaine (XIIᵉ siècle) : elle bat sa monnaie et refuse la mainmise de Richelieu. C'est aussi l'un des hauts lieux du protestantisme. Naturellement, l'Angleterre est heureuse de lui prêter main-forte contre le cardinal. Dans la politique intérieure du ministre de Louis XIII, le renforcement du pouvoir royal a la priorité absolue. La Rochelle doit donc être soumise à l'autorité du roi. Richelieu organise son siège : il interdit tout accès à la ville sur terre comme par mer. La famine fait des milliers de morts (au moins vingt mille) et après un an de siège, les 5 000 survivants rochelais se rendent au roi. Richelieu fait aussitôt détruire les remparts.

Compréhension écrite

1 Lisez attentivement le dossier, puis dites si les affirmations suivantes sont vraies (V) ou fausses (F).

		V	F
1	Le roi Henri IV meurt de mort naturelle.	☐	☐
2	Marie de Médicis assure la régence car le futur roi est encore trop jeune pour régner.	☐	☐
3	Marie de Médicis assure la régence avec tous les conseillers du roi Henri IV.	☐	☐
4	C'est Louis XIII qui fait assassiner Concino Concini, le conseiller de Marie de Médicis.	☐	☐
5	Marie de Médicis n'a pas fini ses jours en France.	☐	☐
6	Richelieu est devenu ministre de Louis XIII.	☐	☐
7	Richelieu crée l'Académie française.	☐	☐
8	L'Angleterre et l'Espagne sont les principaux alliés de la France.	☐	☐
9	Louis XIII n'a pas eu de fils, mais il a eu deux filles.	☐	☐
10	Louis XIII accède au trône en 1621.	☐	☐
11	Les mousquetaires sont les gardes du roi.	☐	☐
12	La Rochelle était une ville protestante et rebelle.	☐	☐
13	Le siège de La Rochelle a duré six mois.	☐	☐
14	Ce siège a fait peu de victimes.	☐	☐
15	6 000 Rochelais ont survécu au siège.	☐	☐
16	À la fin du siège, Richelieu fait détruire les remparts.	☐	☐

PROJET INTERNET

Le siège de La Rochelle

Rendez-vous sur le site www.blackcat-cideb.com. Cliquez ensuite sur l'onglet *Students*, puis sur la catégorie *Lire et s'entraîner*. Choisissez enfin votre niveau et le titre du livre pour accéder aux liens du projet Internet.

A Cliquez sur la rubrique « Les pièces remarquables » – « Le siège de La Rochelle par Jacques Callot », puis répondez aux questions.

▶ Que se passe-t-il à La Rochelle au début du XVIIe siècle ?

▶ Qui a réalisé la gravure ?

▶ À la demande de qui est-elle réalisée et pourquoi ?

▶ Comment la ville de La Rochelle était-elle protégée côté terre et côté mer ?

▶ Jacques Callot a-t-il respecté la chronologie de l'histoire ?

▶ Comment était la ville de La Rochelle avant le siège ?

▶ Que décide Richelieu le 14 août 1627 ?

▶ Comment réagissent les habitants de La Rochelle ?

▶ Pourquoi les Rochelais sont-ils obligés de capituler ?

CHAPITRE 3

Une intrigue de cour

D'Artagnan escorta le duc et Constance jusqu'à l'entrée du
Louvre. Grâce à son déguisement de mousquetaire, le duc entra
sans difficulté dans le palais royal. La jeune lingère prit le duc par
la main et le conduisit à travers de longs corridors sombres, des
escaliers étroits. Elle ouvrit enfin une porte et fit entrer le duc
dans un appartement faiblement éclairé.

— Restez ici, Milord, lui dit-elle. On va venir.

Elle sortit et ferma la porte à clé derrière elle.

Le duc de Buckingham savait qu'il risquait sa vie. Il avait reçu
un message, qui semblait d'Anne d'Autriche. C'était cependant
un faux et quand il s'en était rendu compte, au lieu de regagner
Londres, il avait fait savoir à la reine qu'il ne partirait pas sans
l'avoir vue. La reine avait chargé sa femme de confiance de le
conduire jusqu'à elle. À trente-cinq ans, Buckingham était le plus
beau et le plus élégant cavalier de France et d'Angleterre. Depuis
qu'il avait vu Anne d'Autriche, il l'aimait éperdument. La jeune
reine avait alors vingt-six ans et se trouvait dans tout l'éclat de
sa beauté.

Les Trois Mousquetaires

Quand elle entra dans l'appartement, le duc fut émerveillé.

— Duc, dit-elle, vous savez que ce n'est pas moi qui vous ai fait venir. Il ne faut plus nous voir. Tout nous sépare : la mer, l'inimitié entre la France et l'Angleterre.

— Mais ne savez-vous pas que je suis prêt à tout pour vous rencontrer ?

— Mais Milord, l'interrompit la reine, je ne vous ai jamais dit que je vous aimais.

— Et vous ne m'avez jamais dit que vous ne m'aimiez pas !

À ces mots, la reine se troubla.

— Partez ! Au nom du ciel, retirez-vous. Ayez pitié de moi ! supplia-t-elle.

— Je partirai quand vous m'aurez donné un gage [1], un objet que vous avez porté, une bague, un collier qui me parlera de vous !

— Et vous partirez, vous le promettez ?

Anne d'Autriche rentra dans sa chambre et revint avec un petit coffret en bois de rose.

— Tenez, ce coffret renferme douze ferrets [2] en diamants. Gardez-le en mémoire de moi.

Buckingham prit le coffret, qu'il embrassa avec passion, puis il partit.

Cependant, l'une des dames de compagnie de sa Majesté, qui était dans la chambre de la reine, avait vu la scène. Elle en parla au cardinal à qui elle était toute dévouée.

Le cardinal tourmentait la reine et la rabaissait aux yeux de Louis XIII. Le roi en était venu à douter de la fidélité d'Anne

---

1. **Un gage** : preuve.
2. **Un ferret** : pièce métallique qui termine un lacet.

d'Autriche envers lui-même et envers le royaume de France, et le cardinal tenait là un moyen de faire tomber à jamais la reine en disgrâce. Dès qu'il sut l'affaire du coffret, il écrivit une lettre, qu'il cacheta de son sceau [1] particulier, puis il appela un homme de confiance.

— Partez pour Londres. Ne vous arrêtez pas un seul instant en route ! Vous remettrez cette lettre à Milady. Voici deux cents pistoles. Vous en aurez autant si vous êtes de retour dans six jours !

Voici ce que disait cette lettre qui portait le sceau particulier de Richelieu.

> *Milady, trouvez-vous au bal auquel assistera le duc de Buckingham. Il aura à son pourpoint douze ferrets de diamants. Approchez-vous de lui et coupez-en deux. Aussitôt que ces ferrets seront en votre possession, prévenez-moi.*

Puis, le cardinal de Richelieu se rendit chez le roi.

— Sire, lui dit-il, la reine me semble triste et tourmentée, vous la négligez. Vous devriez faire une chose qui lui serait agréable...

— Mais quoi donc ?

— Donnez un bal ! La reine aime la danse. Elle vous sera reconnaissante de cette attention...

— Un bal... mais pour quelle occasion ?

— Eh bien, nous sommes le 20 septembre... Les échevins [2] de la ville donnent une fête le 3 octobre... Cela pourrait s'arranger à

---

1. **Un sceau** : marque en cire que l'on mettait autrefois pour fermer une lettre.
2. **Un échevin** : autrefois, magistrat municipal.

merveille... Et puis, ajouta le cardinal, ce sera une occasion pour la reine de mettre ces magnifiques ferrets en diamants, que vous lui avez offerts et qu'elle n'a jamais portés...

— Un bal ? Pourquoi pas, après tout...

Le roi alla immédiatement dans les appartements de la reine pour lui communiquer sa décision...

La reine accueillit avec plaisir cette nouveauté.

— Ah, lui dit le roi avant de prendre congé, j'aurai grand plaisir à vous voir parée [1] de ces ferrets de diamants que je vous ai offerts... J'y tiens !

À ces mots, la reine pâlit. Dès que le roi fut sorti, elle se désespéra :

— Je suis perdue !

Et elle raconta tout à Constance dont elle connaissait le dévouement.

— Je vous aiderai, Majesté. Vous porterez les ferrets au bal, je vous le promets.

Constance se rendit chez d'Artagnan. Elle lui raconta le désespoir de la reine, les sombres manœuvres du cardinal.

D'Artagnan, amoureux de la jeune lingère et dévoué à sa reine, courut chez monsieur de Tréville solliciter un congé pour se rendre à Londres. Monsieur de Tréville le supplia de se faire accompagner des trois mousquetaires.

— Mais pourquoi ? demanda d'Artagnan. Je puis m'acquitter seul de cette mission.

— Je sais que vous êtes brave, mais vous luttez contre le cardinal qui a des espions à chaque coin de rue. Seul, vous ne

---

1. **Paré** : décoré, orné.

sortiriez pas de Paris. Il faut partir à quatre, pour que l'un puisse arriver !

Monsieur de Tréville avait raison. Les quatre aventuriers partirent la nuit même. Ils sortirent de Paris à deux heures du matin par la porte Saint-Germain. Aramis et Porthos furent blessés au cours d'une embuscade [1] à Chantilly. À Amiens, des gardes arrêtèrent Athos, l'accusant de posséder de la fausse monnaie. Avant d'embarquer, d'Artagnan dut se battre contre un jeune anglais qu'il laissa à demi-mort sur le bord du chemin. C'était le comte de Wardes, un homme du cardinal. D'Artagnan arriva donc seul en Angleterre.

Il se fit annoncer auprès du duc de Buckingham et lui exposa en deux mots le but de sa mission.

— Venez, suivez-moi, lui dit le duc. Allons prendre ces ferrets.

Ils traversèrent d'abord une chambre magnifique. Par une porte secrète, dissimulée derrière une tapisserie, ils pénétrèrent dans une petite chapelle. Au-dessus d'un autel, il y avait un portrait d'Anne d'Autriche. Sur l'autel, le duc prit le coffret et l'ouvrit. Il poussa un cri terrible : il manquait deux ferrets !

— Comment est-ce possible ? Vous les avez perdus ou on vous les a volés ?

— Attendez, dit le duc, en réfléchissant. J'ai porté ces ferrets une seule fois, au bal du roi. La duchesse de Winter s'est approchée de moi pendant le bal. Cette femme est un agent du cardinal. Cela ne peut être qu'elle !

— Tout est perdu ! soupira d'Artagnan.

— Non ! Le bal doit avoir lieu dans cinq jours. Faites appeler

---

1. **Une embuscade** : piège pour surprendre et attaquer un ennemi.

mon joaillier, monsieur O'Reilly !

Trois jours plus tard, il y avait douze ferrets dans le coffre. Personne n'aurait pu dire lesquels venaient d'être fabriqués par le joaillier.

D'Artagnan repartit. En face de la tour de Londres, il monta sur le bâtiment [1] qui lui était réservé. D'autres bateaux attendaient le long du quai. Sur l'un d'eux, d'Artagnan crut apercevoir, l'espace d'un instant, la belle inconnue de Meung. Il aborda le lendemain matin sur les côtes françaises. En galopant vers Paris, il pensait à ses compagnons, qu'il avait dû abandonner en chemin. Mais le service de sa Majesté la reine passait avant tout.

1. **Un bâtiment** : ici, un bateau.

Compréhension écrite et orale

1 Écoutez attentivement l'enregistrement du chapitre, puis cochez la bonne réponse.

1   Pour entrer au Louvre, le duc de Buckingham
    a ☐ se déguise en mousquetaire.
    b ☐ se déguise en valet.
    c ☐ ne se déguise pas.

2   Le duc de Buckingham a
    a ☐ quarante-cinq
    b ☐ trente-cinq   ans.
    c ☐ trente-trois

3   Anne d'Autriche donne
    a ☐ dix ferrets
    b ☐ douze ferrets   en guise de gage.
    c ☐ onze bagues

4   Milady doit voler
    a ☐ deux ferrets.
    b ☐ douze ferrets.
    c ☐ un collier.

5   Le roi organise un bal
    a ☐ le 20 septembre.
    b ☐ le 3 octobre.
    c ☐ entre le 20 septembre et le 3 octobre.

6   Constance raconte le désespoir de la reine
    a ☐ à Aramis.
    b ☐ à d'Artagnan.
    c ☐ au cardinal.

2 Lisez attentivement le chapitre, puis complétez le résumé.

Constance accompagne (**1**) .... chez la reine. Le duc est
follement (**2**) .... d'Anne d'Autriche. Avant de la quitter, il
lui demande (**3**) .... La reine lui donne un coffret
contenant (**4**) ....

Le cardinal, qui sait tout, propose au roi de (**5**) .... La
reine pourra ainsi porter (**6**) .... La reine est d'abord
heureuse à l'idée du bal, mais quand le roi lui dit de (**7**) ....,
elle est désespérée et se confie à Constance.

La fidèle lingère demande de l'aide à (**8**) .... Ce dernier
part avec (**9**) .... pour Londres, mais il arrive seul en
Angleterre car ses compagnons (**10**) ....

À Londres, le duc de Buckingham veut rendre les ferrets à d'Artagnan,
quand il se rend compte qu' (**11**) ....

C'est Lady de Winter qui (**12**) .... Il fait venir son joaillier
et lui demande de (**13**) ....

Trois jours plus tard, d'Artagnan peut repartir vers Paris avec
(**14**) .... ferrets de diamants.

Production écrite et orale

1 Racontez la première rencontre entre le duc de Buckingham et Anne
d'Autriche. Aidez vous de ces questions.

— Où se rencontrent-ils et dans quelles circonstances ?

— Comment la reine apparaît-elle au duc ? Faites sa description
physique. Semble-t-elle triste, heureuse, mélancolique ? Est-elle
seule ?

— Que ressent le duc de Buckingham ?

— Que fait-il ? Parle-t-il à la reine ? Lui est-il présenté ?

▶▶▶ **PROJET** INTERNET ◀◀◀

Au musée du Louvre...

Rendez-vous sur le site www.blackcat-cideb.com. Cliquez ensuite sur l'onglet *Students*, puis sur la catégorie *Lire et s'entraîner*. Choisissez enfin votre niveau et le titre du livre pour accéder aux liens du projet Internet.

A Cliquez sur la rubrique « Œuvres », « Bases de données », puis sur le lien « Base Atlas ». Tapez « Les Trois Parques Rubens », lancez la recherche, puis répondez aux questions.

▶ Quel est le titre du tableau ?

▶ Qui l'a peint ?

▶ Où ce tableau est-il exposé (aile, étage, salle)

B Cliquez sur le tableau, puis répondez aux questions.

▶ Où se trouvait-il à l'origine ?

▶ Quand a-t-il été réalisé ?

▶ De quel côté du tableau se trouve les trois Parques ?

▶ Selon vous, qui sont les personnages représentés en haut à gauche ?

C Fermez la fenêtre, cliquez sur le plan, allez à la salle 18, puis répondez aux questions.

▶ Comment s'appelle cette salle ?

▶ Selon vous, pourquoi porte-t-elle ce nom ?

▶ De quel peintre sont tous les tableaux exposés ?

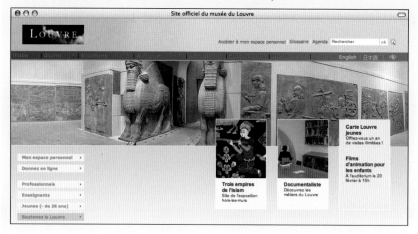

CHAPITRE 4

Le rendez-vous

Le 3 octobre, dès les premières heures du matin, on ne parlait dans Paris que du grand bal que le roi donnait. Les derniers préparatifs occupèrent toute la journée. À minuit, au milieu de grands bruits et d'acclamations, le roi parcourut les rues qui allaient du Louvre à l'Hôtel de Ville. Une demi-heure plus tard, de nouveaux applaudissements saluèrent l'arrivée de la reine. Elle ne portait pas les ferrets de diamants.

— Madame, lui dit le roi d'une voix altérée, pourquoi ne portez-vous pas vos ferrets de diamants, quand vous savez que j'aurais plaisir à vous en voir parée ?

— Sire, répondit la reine, cela ne serait pas prudent, au milieu d'une si grande foule. Mais si vous le désirez, je puis les envoyer chercher au Louvre.

La reine le salua en signe de soumission et donna ordre à une suivante de se rendre au Louvre.

Le cardinal s'approcha du roi et lui remit une boîte. Elle contenait deux ferrets de diamants.

Les Trois Mousquetaires

— Si la reine, dit le cardinal d'un air énigmatique, a les ferrets, comptez-les, Sire. Si vous n'en trouvez que dix, demandez à sa Majesté qui peut avoir dérobé [1] les deux ferrets manquants que voici.

Le bal commença. Louis XIII vit que la reine portait les ferrets. Mais il ne pouvait les compter. Il s'approcha d'Anne d'Autriche.

— Madame, je crois qu'il vous manque deux ferrets et je vous les rapporte.

— Comment, Sire, dit la reine, jouant la surprise [2]. Si vous m'en donnez encore deux, j'en aurai quatorze !

Elle portait les douze ferrets !

Le roi se tourna vers le cardinal, l'air courroucé [3].

— Sire, se justifia le cardinal, je désirais faire accepter ces deux ferrets à sa Majesté, mais je n'osais les lui offrir moi-même.

La reine s'inclina. Elle savourait sa victoire.

— Je remercie votre Éminence, dit-elle d'une voix suave. Je suis certaine que ces deux ferrets vous coûtent bien plus cher que les douze autres...

Cette nuit-là, d'Artagnan montait la garde devant le Louvre. Quand il rentra chez lui, au petit matin [4], il trouva un billet. Il le décacheta [5] et lut :

> *On a de vifs remerciements à vous faire et à vous transmettre. Trouvez-vous ce soir vers dix heures à Saint-Cloud, en face du pavillon qui s'élève à l'angle de la maison de monsieur d'Estrées.*
> *C.B.*

1. **Dérober** : voler.
2. **Jouer la surprise** : faire semblant d'être surpris.
3. **Courroucé** : en colère.
4. **Au petit matin** : très tôt le matin.
5. **Décacheter** : ouvrir.

Les Trois Mousquetaires

C.B., ce ne pouvait être que la jolie lingère. C'était le premier billet qu'il recevait, le premier rendez-vous qui lui était accordé. Il embrassa la lettre qui lui permettait les rêves les plus doux.

Il crut que le soir n'arriverait jamais. À neuf heures, il sella son cheval, se rendit à Saint-Cloud et se posta au lieu fixé. La nuit était noire. Une pièce du pavillon où il devait retrouver Constance était éclairée d'une faible lumière. Il ne détachait pas les yeux de cette fenêtre, guettant [1] un signe. Il retenait sa respiration, attendant un appel... À onze heures, l'angoisse s'empara de lui. Il escalada le mur jusqu'à la fenêtre éclairée... Le spectacle à l'intérieur était épouvantable : les plats, les verres, les mets, préparés pour un souper intime, avaient été jetés à terre. Sur la nappe blanche et les rideaux, il y avait des taches de sang... On s'était battu. Quelqu'un avait enlevé Constance Bonacieux !

D'Artagnan alla tout raconter à monsieur de Tréville.

— Tout ceci ressemble au cardinal ! dit monsieur de Tréville. Son Éminence a voulu se venger. Vous l'avez humilié devant sa Majesté la reine.

— Que faire ? le pressa d'Artagnan.

— Rien, pour l'instant. Je verrai la reine, je demanderai son aide. Quant à vous, vous devez quitter Paris le plus tôt possible. Seul ici, vous êtes une cible [2] trop facile pour le cardinal. Partez à la recherche de vos trois compagnons que vous avez perdus sur le chemin de Londres !

D'Artagnan accepta ce sage conseil. Dès le lendemain, il reprit

---

1. **Guetter** : observer attentivement.
2. **Une cible** : ici, un objectif.

la route qu'il avait parcourue quelques jours plus tôt au service de la reine.

À Chantilly, il retrouva Porthos : il était couché et faisait une partie de lansquenet [1] avec son valet. Dans la cheminée, une broche [2] chargée de perdrix tournait, la table était recouverte de bouteilles, vides et pleines.

— À la bonne heure ! s'exclama d'Artagnan. Je vois que vous vous portez bien ! Vous pouvez donc venir avec moi à la recherche de nos deux compagnons !

— Oh que non ! J'attends de l'argent d'une amie... une duchesse... J'ai tout perdu au jeu et je ne sais comment payer mon hôte.

— Malheureux au jeu, heureux en amour..., lança d'Artagnan.

Quelques lieues plus loin, il retrouva Aramis. Habillé de noir, il était en compagnie de deux jésuites sévères.

— Eh bien, je vois que vous êtes guéri de votre blessure ! Vous pouvez donc venir avec moi à la recherche d'Athos !

— Croyez bien que je suis heureux de vous voir, cher d'Artagnan..., dit Aramis d'un air contrit. Mais voyez-vous, j'ai besoin d'un peu de calme pour terminer ma thèse... J'abandonnerai bientôt les vanités de ce monde pour entrer dans l'église, ma première vocation... *Vanitas vanitatum*...

— Au diable votre latin ! Je m'en vais chercher Athos !

À Amiens, il retrouva Athos à l'auberge où on l'avait arrêté. Mais il était d'humeur plus sombre que d'habitude. Quand il vit

---

1. **Le lansquenet** : ancien jeu de cartes.
2. **Une broche** : tige de fer sur laquelle on enfile de la viande pour la faire tourner au-dessus du feu.

d'Artagnan, il se jeta à son cou. Les deux hommes s'attablèrent devant une table bien garnie.

D'Artagnan raconta à son ami toutes ses aventure jusqu'à la disparition de la charmante Constance...

— Je suis le plus malheureux des hommes ! conclut-il.

— Misères que tout cela, répondit Athos.

— Misères ? On voit que vous n'avez jamais aimé !

— C'est vrai, peut-être... Pourtant, je pourrais vous raconter une véritable histoire d'amour...

— Racontez donc !

Athos pâlit. Il se recueillit et parla :

— Un de mes amis... Un de mes amis, pas moi, dit-il en insistant, un comte, tomba amoureux à vingt-cinq ans d'une jeune fille de seize ans, belle comme un ange. Elle vivait avec son frère qui était curé. Personne ne savait d'où ils venaient. Mon ami était trop honnête, il aimait cette jeune fille et il l'épousa... Un jour, alors qu'elle était à la chasse avec lui, elle tomba et s'évanouit.

Athos s'interrompit quelques secondes, puis il continua en parlant plus vite.

— Comme elle étouffait dans ses habits, mon ami prit son poignard pour les déchirer. Il lui découvrit l'épaule, et...

Athos eut un rire tragique.

— Savez-vous ce qu'elle avait sur l'épaule, d'Artagnan ?

D'Artagnan, impressionné, ne répondit pas.

— Elle avait une fleur de lys... Elle était marquée comme les voleurs. Elle avait volé et le bourreau [1] l'avait marquée. Ce n'était

---

1. **Un bourreau** : personne chargée d'exécuter les condamnés à mort.

pas un ange, mais un démon.

— Et qu'avez-vous... heu... qu'a fait votre ami ?

— Le comte était un grand seigneur, il avait droit de justice. Il a fini de déchirer les habits de la comtesse, il lui a attaché les mains derrière le dos et il l'a pendue à un arbre.

Athos prit la dernière bouteille de vin, l'approcha de sa bouche et la vida d'un trait.

— Ne vous désespérez pas pour votre jolie lingère, d'Artagnan. N'attendez rien des femmes, ni de l'amour.

Il se prit la tête dans les mains et ne dit plus rien.

Le lendemain, d'Artagnan et Athos se mirent en route. En chemin, Porthos et Aramis se joignirent [1] à eux. À Paris, ils se rendirent immédiatement chez monsieur de Tréville, qui remercia d'Artagnan de lui avoir ramené ses trois mousquetaires sains et saufs. Il leur annonça que la compagnie devait se préparer à partir pour La Rochelle : le cardinal avait décidé d'assiéger cette ville pour mettre un terme à la révolte des protestants.

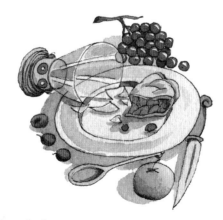

1. **Se joindre** : s'unir.

Compréhension écrite et orale

1 Lisez attentivement le chapitre, puis dites si les affirmations suivantes sont vraies (V) ou fausses (F).

		V	F
1	La reine arrive au bal avec les ferrets.		
2	D'Artagnan n'a pas réussi dans sa mission.		
3	Le cardinal est humilié par la reine.		
4	D'Artagnan reçoit un billet de Constance.		
5	D'Artagnan a un rendez-vous galant avec la lingère.		
6	Constance n'est pas venue au lieu du rendez-vous.		
7	D'Artagnan retourne à Londres.		
8	À Chantilly, il retrouve Porthos et Aramis.		
9	Porthos est gravement blessé.		
10	Aramis a décidé de se marier.		
11	D'Artagnan retrouve Athos à Amiens.		
12	Athos lui raconte une histoire qui lui est arrivée.		
13	C'est l'histoire d'un amour malheureux.		
14	L'héroïne de cette histoire est une voleuse.		
15	Elle a été égorgée par son mari.		

2 Écoutez attentivement l'enregistrement, puis cochez la bonne réponse.

1 Alexandre Dumas a eu l'idée de ce roman
   a ☐ au cours d'un naufrage.
   b ☐ au cours d'un voyage.
   c ☐ en faisant ses bagages.

2 Le rocher s'appelle le rocher de
   a ☐ Monte-Presto.   b ☐ Monte-Carlo.   c ☐ Monte-Cristo.

3 Ce rocher se trouve à côté
   a ☐ de l'île de Ré.   b ☐ de l'île d'Elbe.
   c ☐ du Mont-Saint-Michel.

4 Sur cette île, on a enfermé

a ☐ Napoléon 1er.

b ☐ Napoléon II.

c ☐ Napoléon III.

5 En voyant le rocher, Dumas a un coup de

a ☐ cœur. **b** ☐ barre. **c** ☐ foudre.

6 Dumas appelle le héros de son histoire

a ☐ François Picaud.

b ☐ Edmond Giraud.

c ☐ Edmond Dantès.

7 Le héros du fait divers s'appelle

a ☐ François Picaud.

b ☐ Edmond Picaud.

c ☐ Edmond Dantès.

8 Il est accusé

a ☐ d'espionnage.

b ☐ de carnage.

c ☐ de chantage.

9 Il devient l'héritier d'un

a ☐ évêque.

b ☐ curé.

c ☐ abbé.

10 À sa sortie de prison, il

a ☐ mange chez ses amis.

b ☐ s'arrange avec ses complices.

c ☐ se venge de ses accusateurs.

11 Il meurt

a ☐ d'une crise cardiaque.

b ☐ d'apoplexie.

c ☐ assassiné.

Grammaire

L'emploi des auxiliaires

- Tous les verbes **pronominaux** se conjuguent avec l'auxiliaire **être**.
  *D'Artagnan **s'est aperçu** de son erreur, il **s'est enfui** du château.*
  *Ses amis **se sont retournés** en le voyant et ils **se sont mis** à rire.*
- En général, les verbes **intransitifs** (c'est-à-dire qui n'ont jamais de
  complément d'objet direct) se conjuguent avec l'auxiliaire **avoir**.
  *L'amitié d'Athos pour d'Artagnan **a été** profonde.*
- Certains verbes **intransitifs** se conjuguent avec **être**.
  Voici les principaux :

  **aller / arriver / décéder / entrer / mourir / naître / partir / rester /
  retourner / sortir / venir** (et tous ses composés : **advenir, devenir,
  parvenir, revenir...**)
  *Nos héros **sont partis** et **sont arrivés** dans la petite ville de Meung où ils
  sont restés pour la nuit.*
- Certains verbes se conjuguent avec **avoir** s'ils indiquent une **action** et
  avec **être** s'ils indiquent un **état**.
  Voici les principaux :

  **apparaître / cesser / changer / descendre / disparaître / grandir /
  monter / passer...**
  *D'Artagnan **a passé** des moments difficiles, il **a grandi** dans une famille
  pauvre.*
  *Tout cela, maintenant, **est passé**, se dit-il en pensant à son avenir.*

1 Complétez les phrases avec l'auxiliaire qui convient.

1. Quand il .... rentré, il s'.............................. aperçu que
   la porte était ouverte.

2. Nous .... passé de très bons moments à cette fête.

3. Les mousquetaires .... sortis rapidement du
   château.

4. Ils se connaissent très bien, ils .... grandi ensemble.

5. Ils .... sorti leurs chevaux et ils ....
   partis au galop.

6 Cette histoire .... été terrible pour la cour.

7 Ils .... nés et ils .... morts le même jour, un 13 mai.

8 Les ferrets .... disparu.

9 Depuis votre départ, rien n'............................ changé.

2 Mettez le texte au passé composé.

Depardieu mousquetaire

Un pour tous, tous pour un ! Les trois mousquetaires croisent leurs épées sur le tournage du *Masque de fer*, la nouvelle superproduction adaptée du célèbre roman d'Alexandre Dumas. Accompagnés de d'Artagnan, alias Gabriel Byrne, les fidèles compères, Athos, Porthos et Aramis, sont interprétés par Jeremy Irons, John Malkovich et l'infatigable Gérard Depardieu. Dans ce long métrage mis en scène par Randall Wallace, le scénariste oscarisé pour *Braveheart*, le rôle-titre prend les traits de Leonardo Di Caprio, le jeune héros de *Roméo et Juliette*. La reine mère, Anne d'Autriche, est jouée par Anne Parillaud.

Les principaux verbes défectifs

Ce sont des verbes dont la conjugaison n'est pas complète. On peut les distinguer en deux grandes catégories :
— ceux qui ne se conjuguent pas à tous les modes et à tous les temps ;
— ceux qui sont impersonnels et ne se conjuguent qu'à la 3e personne du singulier.

Les verbes défectifs en temps et en mode

Faillir : possède seulement le passé simple, le futur et le conditionnel, le participe présent et le participe passé.

Frire : s'emploie principalement à la 3e personne du singulier et à l'infinitif. Il est remplacé par la locution *faire frire*.

Attraire : s'utilise seulement à l'infinitif. Il a été remplacé par le verbe attirer.

Clore : ne se conjugue pas à l'imparfait, au plus-que-parfait, au passé simple et au passé antérieur.

Les verbes impersonnels

Tous les verbes qui indiquent une condition climatique sont défectifs : pleuvoir, neiger, venter…

Falloir : il se conjugue à tous les modes sauf au participe présent.

3 **Dites si les phrases suivantes sont correctes (C) ou incorrectes (I).**

C I

1 J'ai failli m'évanouir de peur.
2 Il faut beaucoup de courage pour être mousquetaire.
3 Ils pleuvaient tous les jours.
4 Vous friez du bon poisson dans votre auberge.
5 Il faudrait arrêter les criminels.
6 D'Artagnan cloait la porte de Constance tous les jours.
7 Il a neigé toute la nuit.
8 Elle fallissait à tous ses devoirs.

62

4 Conjuguez les verbes entre parenthèses au temps demandé.

CYRANO DE BERGERAC

Drame de Jean-Paul Rappeneau (1989) avec Gérard Depardieu, Anne Brochet, Vincent Pérez et Jacques Weber.
Bretteur, bon vivant, poète et tonitruant, Cyrano de Bergerac a tout pour plaire, hormis un appendice nasal des plus proéminents, qui l'oblige à dissimuler ses tendres sentiments pour la belle Roxane, sa cousine... Mais le cœur de Roxane ne bat que pour Christian, un jeune cadet de Gascogne.

1 (*S'en falloir* / passé composé) .... de peu que Roxane n'aime Cyrano.

2 (*Falloir* / passé composé) .... que Cyrano parle sous les traits de Christian.

3 Roxane (*faillir* / passé composé) .... aimer Cyrano, mais il avait vraiment un trop grand nez.

4 (*Falloir* / passé composé) .... que Vincent Pérez interprète le rôle de Christian pour devenir célèbre.

5 Pendant le tournage, Depardieu qui n'était pas doublé par un cascadeur (*faillir* / passé composé) .... être blessé.

6 Cyrano (*faillir* / plus-que-parfait) .... perdre la vie dans une embuscade.

63

La nuit tous les chats sont gris

Les quatre compagnons passèrent les jours suivants à parcourir Paris et ses environs afin de préparer leur équipement pour le siège de La Rochelle.

Un jour que d'Artagnan passait à Saint-Germain, il vit dans un carrosse la belle inconnue de Meung. Elle avait une discussion animée avec un cavalier. D'Artagnan s'approcha.

— Madame, permettez-moi de vous offrir mes services. Il me semble que ce cavalier vous offense. Dites un mot et je le punirai.

Milady se retourna, étonnée.

— Je me mettrais volontiers sous votre protection, monsieur. Mais cette personne est mon beau-frère, lord de Winter.

D'Artagnan allait s'excuser, quand le cavalier s'écria :

— De quoi donc se mêle cet étourneau[1] ? Pourquoi ne passe-t-il pas son chemin ?

---

1. **Étourneau** : ici, imbécile, idiot.

La nuit tous les chats sont gris

— Étourneau, vous-même ! répondit d'Artagnan. Je ne passe pas mon chemin parce que j'ai envie de m'arrêter ici !

Le ton monta entre les deux hommes. Ils décidèrent de régler l'affaire en duel le soir même à six heures. D'Artagnan viendrait avec trois amis et le baron ferait de même.

Le soir à six heures, le combat entre les huit hommes fut acharné [1]. Athos tua son adversaire. Porthos et Aramis blessèrent les deux autres. Quant à d'Artagnan, il désarma lord de Winter. Il le tenait à sa merci, la pointe de son épée contre son cou.

— Je pourrais vous tuer, monsieur, lui dit-il. Mais je vous donne la vie, pour l'amour de votre belle-sœur.

L'Anglais comprit qu'il avait affaire à un homme d'honneur. Il le remercia vivement, l'appela « mon ami » et l'invita pour le soir même chez sa belle-sœur Lady Clarick.

D'Artagnan rougit de plaisir. Dans son cœur, l'image de Milady effaçait peu à peu celle de la jolie lingère qui avait disparu. La beauté mystérieuse de Milady fascinait d'Artagnan. En outre, sa vie semblait liée par un étrange hasard à celle du jeune Gascon.

Le soir, Milady Clarick reçut d'Artagnan gracieusement. Lord de Winter raconta à sa belle-sœur comment d'Artagnan lui avait laissé la vie sauve. Un nuage passa sur son regard et un sourire étrange apparut sur ses lèvres. D'Artagnan frissonna [2] en voyant cette expression étrange passer sur son visage. Milady le fascinait et l'intriguait. Elle se disait anglaise, mais elle parlait français si parfaitement que d'Artagnan doutait...

1. **Acharné** : très violent.
2. **Frissonner** : trembler de froid, de peur ou d'émotion.

Les Trois Mousquetaires

Il revint plusieurs soirs chez Lady Clarick, en l'absence de lord de Winter. Milady semblait le recevoir avec plaisir, elle voulait tout savoir sur d'Artagnan, mais le jeune homme répondait de façon évasive.

Milady enrageait de ne pouvoir en savoir plus.

Un soir, alors qu'il allait sonner pour être introduit chez Milady, quelqu'un le prit par le bras et l'entraîna le long d'un corridor sombre, jusque dans une chambre. C'était Ketty, la jeune servante de Milady.

— Que voulez-vous ? Pourquoi m'avez-vous entraîné ici ? demanda d'Artagnan.

— Vous aimez bien ma maîtresse, monsieur ? demanda Ketty.

— J'en suis fou ! soupira d'Artagnan.

— C'est une erreur, car elle, voyez-vous, ne vous aime pas ! Lisez ce billet. Il est pour le comte de Wardes.

D'Artagnan lut :

> *Je vous écris pour vous dire que je vous aime. Vous savez sans aucun doute de quelle manière un galant homme peut m'être agréable.*

Pendant que d'Artagnan relisait ce billet, Milady appela Ketty. Sa chambre communiquait avec celle de sa servante.

Ketty se précipita.

— Eh bien, dit Milady, je n'ai pas vu notre Gascon ce soir ! Il a sans doute été retenu par monsieur de Tréville ou monsieur des Essarts.

— Il vous a manqué ? Vous l'aimez donc ? demanda timidement Ketty.

— L'aimer ! Je le déteste ! Ce d'Artagnan est un imbécile ! Il tenait lord de Winter à la pointe de son épée et il ne l'a pas tué ! Il m'a fait perdre trois cent mille livres de rente[1] !

— C'est vrai, dit Ketty, vous êtes la seule héritière de lord de Winter…

— Et puis… ajouta Milady, il y a entre d'Artagnan et moi, une affaire qu'il ignore. À cause de lui, j'ai failli perdre la confiance du cardinal. Il a fait échouer ma dernière mission. Mais je le tiens, je l'aurai…

D'Artagnan, caché derrière la porte, frissonnait en entendant ces paroles. Il se retenait pour ne pas s'élancer dans la chambre.

Quand Ketty revint, il savait déjà comment se venger. Il écrivit un billet :

> *Madame, je me croyais indigne de l'honneur que vous m'avez fait en abaissant les yeux sur moi. Votre lettre m'oblige à croire en ma bonne fortune. Je viendrai demain à onze heures car je sais comment vous être agréable.*

Il signa le billet « Comte de Wardes » et ordonna à Ketty de le remettre à sa maîtresse.

Le lendemain, à onze heures, Milady attendait le comte de Wardes. La chambre était plongée dans l'obscurité la plus totale. À onze heures, d'Artagnan sonna et Ketty l'introduisit chez sa maîtresse.

— Entrez, comte, dit Milady de sa voix la plus douce.

Elle lui prit les mains, elle lui déclara son amour. D'Artagnan se trouvait dans une situation douloureuse. Cette femme le fascinait, il l'aimait et il recevait d'elle les manifestations d'un

---

1. **Une rente** : somme d'argent que l'on reçoit périodiquement.

amour qu'elle éprouvait pour un autre. Elle lui passa au doigt une bague.

— Gardez-la en gage de mon amour.

D'Artagnan oublia la situation périlleuse où il était. Certain que le sentiment si fort qu'il éprouvait ne pouvait qu'être partagé, il déclara :

— Je suis l'homme le plus heureux de cette terre, si vous m'aimez. Mais si j'étais un autre, m'aimeriez-vous autant ?

— Que voulez-vous dire, c'est vous que j'aime et vous m'aimez...

— Oui, mais si je n'étais pas celui que vous croyez...

Milady, intriguée, alluma un chandelier et découvrit ce que cachaient ces mots. Folle de rage, elle bondit [1] jusqu'à une table. Elle saisit un poignard et se jeta sur d'Artagnan. Pour arrêter son geste, il tira violemment sur la chemise qui se déchira. Ce que vit alors le jeune homme le glaça d'effroi : Lady Clarick portait sur l'épaule une fleur de lys. Elle se jeta encore sur lui comme une furie, mais d'un bond, d'Artagnan se sauva par la chambre de Ketty.

Encore épouvanté par la vision de la marque infamante, d'Artagnan courut chez Athos.

Le regard d'Athos tomba tout d'abord sur la bague que d'Artagnan portait au doigt.

— Vous regardez ma bague... Pourquoi donc ? demanda d'Artagnan.

— Elle me rappelle un bijou de famille... une bague qui était à ma mère... je ne croyais pas qu'il existait deux saphirs

1. **Bondir** : sauter, s'élancer.

Les Trois Mousquetaires

semblables. Montrez-la-moi !

Il examina la bague, il l'essaya.

— Comment est-ce possible ? murmura-t-il. D'où vous vient donc cette bague ?

D'Artagnan lui raconta alors les événements de la nuit. À la fin du récit, Athos était livide.

— Elle est marquée et elle avait cette bague... Mais je l'ai tuée ! Je l'ai pendue !

Comme d'Artagnan le regardait, sans oser comprendre, il ajouta :

— Cette histoire que je vous ai racontée, c'est à moi qu'elle est arrivée. J'étais le comte de la Fère, ma femme s'appelait Anne de Breuil. Ce ne peut être elle ! Je l'ai tuée !

Compréhension écrite et orale

1 Lisez attentivement le chapitre, puis répondez aux questions.

1 À quelle occasion d'Artagnan rencontre-t-il Milady ?

2 Pourquoi d'Artagnan se bat-il en duel contre lord de Winter ?

3 Dans quelle circonstance lord de Winter devient-il l'ami de d'Artagnan ?

4 Quel sentiment éprouve d'Artagnan pour Lady Clarick ?

5 Que révèle Ketty à d'Artagnan ?

6 Quelle preuve lui donne-t-elle ?

7 Par quel subterfuge d'Artagnan s'introduit-il dans la chambre de Milady ?

8 Comment réagit Milady quand d'Artagnan lui dit la vérité ?

9 Que découvre d'Artagnan ?

10 Quel objet attire l'attention d'Athos ? Pourquoi ?

11 Que révèle Athos à d'Artagnan quand il sait que Milady est marquée d'une fleur de lys ?

2 Histoire de famille ! Associez chaque féminin à son masculin.

1 ☐ mari   a   mère
2 ☐ fils   b   femme
3 ☐ frère   c   tante
4 ☐ père   d   belle-sœur
5 ☐ oncle   e   sœur
6 ☐ beau-frère   f   fille
7 ☐ neveu   g   grand-mère
8 ☐ grand-père   h   nièce
9 ☐ cousin   i   cousine

Les costumes sous Louis XIII

« La politesse française » née sous Louis XIII se reflète dans les bonnes manières, mais aussi dans le costume.

D'abord un peu tape-à-l'œil, le costume devient peu à peu discret et distingué : moins d'accessoires et des lignes simples, élégantes.

Les pierres précieuses complètent le travail du couturier. Les broderies d'or accompagnent inévitablement tous les vêtements, tant et si bien qu'un édit est promulgué en 1633 contre cet étalage de richesses, mais cet édit ne concerne nullement la noblesse !

Pendant la guerre de Trente Ans [1], où l'on voit la France lutter contre l'Espagne et l'Autriche, on apprécie les dentelles de toutes sortes... On met des dentelles aux poignets et aux collerettes, qui plus tard ont tendance à disparaître. Les couleurs sont voyantes et contrastent avec les noirs ou les gris portés par les protestants.

Des hommes à l'allure de cavaliers

Les hommes voient s'allonger leurs culottes sous les genoux (on se souvient qu'elles laissaient la jambe bien dégagée sous François 1er ou sous Henri III) et ils mettent des bottes à revers ; des bottes avec éperons portées par les mousquetaires. Ils ont aussi un pourpoint ou justaucorps. Ils font pousser leurs cheveux ainsi que de fines

---

1. **La guerre de Trente Ans** (1618-1648) : guerre religieuse et politique qui connaît quatre grandes périodes. Durant la période française, Richelieu intervient contre l'Autriche remportant les victoires de Rocroi (1643), de Fribourg et de Nordlingen (1645). Elle se termine par la paix de Westphalie (1648).

Gentilshommes français, 1615-30, dans
Les costumes de Paris à travers les siècles, artiste anonyme.

moustaches et une petite barbiche. Ils portent souvent des chapeaux
en feutre aux bords très larges garnis de plumes.

Les mousquetaires, eux aussi, sont habillés comme ça. On les appelle
ainsi parce qu'il portent un mousquet, une sorte de long fusil. Ils ont
également une casaque aux manches très amples, une soubreveste
(une veste sans manches) et des gants à large crispin.

Cette allure cavalière n'est pas visible uniquement dans les
costumes. En effet, on se bat en duel pour un oui ou pour un non. Le
soufflet, une gifle, est l'offense la plus terrible. Souvent même, un
mot mal placé et tout se termine dans un bain de sang ; tant et si bien
que Richelieu interdit le duel. Comme on le voit dans le roman de

Dames à la Cour de Louis XIII, 1614,
dans *Histoire de la mode en France*, Marie Preval.

Dumas, le duel est illégal et puni par les gardes de Richelieu. C'est là d'ailleurs l'une des raisons pour lesquelles la célèbre pièce de Corneille, *Le Cid*, sera mal vue par la critique puisqu'en effet, le héros est contraint de laver l'affront fait à son père en tuant celui de Chimène, la jeune fille qu'il aime.

Noblesse oblige chez les femmes

Les femmes de la noblesse abandonnent les corsets trop rigides soutenus par des baleines. Elles portent des jupes très amples superposées les unes aux autres, ce qui leur donne cet aspect imposant. Elles aussi adorent les dentelles qu'elles utilisent abondamment. Après l'édit de 1633, les bourgeoises, au contraire, doivent se limiter à porter des vêtements plus simples. Leurs cheveux sont relevés en chignon sur la nuque et laissés longs sur les tempes. Les femmes portent aussi de grandes capes ou manteaux sans manches avec un capuchon.

Elles deviennent mystérieuses et n'hésitent pas à monter à cheval... car l'aventure s'accorde, elle aussi, au féminin sous le signe de la conspiration et des poisons. Dans le roman, Milady, en est l'exemple le plus éclatant.

Compréhension écrite

1 Lisez attentivement le dossier, puis cochez les affirmations qui sont correctes.

1 ☐ Sous le règne de Louis XIII, le costume est de plus en plus tape-à-l'œil.

2 ☐ En 1633, un édit demande aux nobles de limiter la richesse de leurs vêtements.

3 ☐ Les protestants avaient l'habitude de porter des couleurs très vives.

4 ☐ Les pantalons des hommes arrivent sous les genoux.

5 ☐ La mode est aux cheveux très courts.

6 ☐ Le soufflet était considéré comme la pire offense pour laquelle on se battait en duel.

7 ☐ Richelieu a interdit les duels.

8 ☐ Les femmes portaient plusieurs jupes amples, ce qui affinait la silhouette.

9 ☐ Les femmes ne montaient jamais à cheval.

10 ☐ Les femmes ne conspiraient jamais.

Enrichissez votre **vocabulaire**

1 Retrouvez dans le dossier les mots correspondant aux définitions.

1 Motif fait à l'aiguille sur du tissu avec des fils de différentes couleurs : ....

2 Vêtement qui couvre le torse : ....

3 Chaussures hautes que portent les mousquetaires : ....

4 Tissu léger qui sert à ornementer des vêtements : ....

5 Vêtement qui devait serrer le buste des femmes : ....

6 Long fusil que portaient les mousquetaires : ....

7 Vêtement ample, sans manches, que l'on porte à l'extérieur, pour sortir : ....

CHAPITRE 6

À l'auberge du Colombier-Rouge

Quelques jours après cette terrible nuit, d'Artagnan partit pour
La Rochelle, avec la compagnie de monsieur des Essarts, à la
suite de monsieur, frère du roi. La compagnie des mousquetaires
ne devait arriver que plus tard, avec le roi et son Éminence.

D'Artagnan s'ennuyait fort, attendant avec impatience les
lettres que les mousquetaires lui envoyaient de Paris. Aramis,
grâce à ses nombreuses amitiés parmi les dames de compagnie
de la reine, avait réussi à retrouver la trace de Constance, qui
occupait à nouveau le cœur et les pensées du jeune Gascon. La
jolie lingère avait été enlevée par les hommes de Milady, puis
libérée grâce à l'intervention directe de la reine. Mais personne
ne savait où elle se cachait.

Ainsi, d'Artagnan hésitait entre l'espoir de retrouver
Constance vivante et la peur de la vengeance de Milady.

Un jour finalement, le canon annonça l'arrivée du roi, du
cardinal et de la compagnie de monsieur. Avec les trois

mousquetaires, la vie au campement devint plus supportable. Pour prendre un bastion [1] ou pour vider la cave d'une auberge, d'Artagnan, Athos, Porthos et Aramis étaient toujours en première ligne.

Un soir, alors que la compagnie de monsieur des Essarts était occupée dans l'assaut d'un fort, Athos, Porthos et Aramis, après avoir passé quelques heures dans une bonne auberge, rentraient au campement. Soudain, une voix autoritaire leur ordonna de s'arrêter et de donner le mot de passe [2].

C'était le cardinal. Habillé en cavalier, il voyageait seul, sans escorte.

— Pour ma sécurité, vous allez m'accompagner, dit le cardinal. Et au retour, vous m'escorterez jusqu'à mon logis.

Les trois mousquetaires s'inclinèrent. Ils accompagnèrent le cardinal à l'auberge du Colombier-Rouge.

— Attendez-moi dans cette pièce ! ordonna le cardinal.

Athos, marchait impatiemment de long en large. En passant à côté d'un poêle [3], dont le tuyau débouchait à travers le plafond, il entendit des voix. Il s'approcha encore et colla son oreille contre le tuyau, faisant signe à ses compagnons de se taire.

— Écoutez, Milady, dit la voix du cardinal, l'affaire est d'importance.

— Milady ! murmura en frémissant Athos et d'un geste, il appela ses compagnons.

— J'écoute votre Éminence avec la plus grande attention, dit une voix de femme.

---

1. **Un bastion** : fort.
2. **Un mot de passe** : mot secret qui sert à se faire reconnaître.
3. **Un poêle** : appareil qui sert à réchauffer les pièces.

— Un petit bâtiment avec équipage anglais vous attend au fort de La Pointe, à quelques lieues d'ici. Vous devez vous y rendre immédiatement. Il partira demain matin.

— Bien, Monseigneur ! Mais exposez-moi en termes clairs la mission dont vous voulez me charger.

— Vous partez pour Londres. À Londres, vous vous présenterez chez le duc de Buckingham ; dites-lui que je sais qu'il a organisé une ligue [1] contre moi, et que s'il ne revient pas sur cette décision, je perdrai la reine.

— Et si je n'arrive pas à le persuader ?

— Eh bien, alors, il n'y aura pas d'autre solution que de le tuer.

— Je servirai votre Éminence... Maintenant que j'ai reçu vos ordres à propos de vos ennemis, puis-je vous dire deux mots des miens ?

— Vous avez des ennemis ?

— Oui, j'en ai un surtout : l'homme qui a fait échouer l'affaire des ferrets, d'Artagnan ! C'est un libertin, un duelliste, un traître !

— Que désirez-vous, Milady ?

— Un billet de son Éminence, qui m'autorise à faire ce que je veux faire !

On n'entendit plus rien. Athos supposa que le cardinal était en train d'écrire.

— Dites au cardinal que je suis parti en éclaireur [2] m'assurer que la voie est libre !

Sans donner d'autres explications à ses compagnons, il sortit, prit son cheval et se cacha non loin de l'auberge. Quand il vit

1. **Une ligue** : union de plusieurs pays contre un autre.
2. **Un éclaireur** : celui qui part le premier pour observer la route.

Les Trois Mousquetaires

sortir le cardinal et son escorte, il revint sur ses pas et monta dans la pièce où se trouvait Milady. Il entra, le visage masqué par son manteau. Milady, qui était prête à partir, se retourna :

— Qui êtes-vous ? Que voulez-vous ?

— Me reconnaissez-vous, madame ? demanda Athos, en dévoilant son visage.

Milady recula, comme si elle avait vu un revenant[1].

— Le comte de La Fère !

— Oui, Milady ! Mais comment faut-il vous appeler ? Lady Clarick ou Anne de Breuil ? Vous êtes donc un démon revenu sur la terre pour continuer à faire le mal !

— Comment avez-vous fait ? C'est impossible ! Je vous croyais mort...

— Non, Milady ! Je ne suis pas mort et je sais tout de vous !

— Que voulez-vous ? Vous ne pouvez rien contre moi !

— Je veux vous mettre en garde : ne touchez pas un seul cheveu de d'Artagnan ou je vous jure que ce sera votre dernier crime !

— D'Artagnan m'a offensée ! Il doit mourir !

— Il ne mourra pas.

Athos s'approcha de Milady. Il arma son pistolet, tendit le bras. L'arme touchait le front de Milady.

— Madame, dit-il, vous allez me remettre à l'instant le billet que vous a signé le cardinal. Sinon, je vous fais sauter la cervelle.

Et comme Milady restait immobile, il ajouta :

— Vous avez une seconde pour vous décider.

Milady vit que le coup allait partir. Elle mit vivement sa main à

---

1. **Un revenant** : fantôme.

Les Trois Mousquetaires

la poitrine, en tira un papier qu'elle remit à Athos.

— Tenez et soyez maudit !

Athos déplia le billet et lut :

> *C'est par mon ordre, et pour le bien de l'État que le porteur du présent a fait ce qu'il a fait.*
>
> *3 décembre 1627*
>
> *Richelieu*

— Et maintenant, dit Athos en sortant de la pièce, maintenant que je t'ai arraché les dents, vipère, mords, si tu le peux !

Il monta à cheval, prit au galop un chemin de traverse [1] et se plaça sur la route du campement, où il attendit le cardinal et les deux mousquetaires.

Milady, qui ne pouvait rien révéler au cardinal sans dévoiler son terrible secret, se mit en route vers le fort de la Pointe, la rage au cœur, pensant déjà à sa vengeance.

---

1. **Un chemin de traverse** : chemin secondaire, raccourci.

Compréhension écrite et orale

1 Écoutez attentivement l'enregistrement du chapitre, puis cochez les affirmations qui sont correctes.

1 ☐ D'Artagnan part pour La Rochelle avec toute la compagnie des mousquetaires.

2 ☐ Aramis réussit à avoir des nouvelles de Constance.

3 ☐ Un soir, Aramis, Porthos et Athos rencontrent le roi Louis XIII.

4 ☐ Les mousquetaires accompagnent Richelieu dans une auberge.

5 ☐ Dans cette auberge, le cardinal a une entrevue secrète avec Milady.

6 ☐ Le cardinal ordonne à Milady de séduire le duc de Buckingham.

7 ☐ Milady demande au cardinal la permission d'épouser d'Artagnan.

8 ☐ Athos s'introduit dans la chambre de Milady.

9 ☐ Athos tue Milady.

2 Écoutez à nouveau la conversation entre Milady et Richelieu, puis cochez les phrases que vous entendez.

1 a ☐ L'affaire est importante.
  b ☐ L'affaire est d'importance.

2 a ☐ Il n'y aura pas d'autre solution que de le tuer.
  b ☐ Il n'y aura pas d'autre solution que de les tuer.

3 a ☐ Un petit bâtiment avec équipage anglais vous attend au port de la Pointe.
  b ☐ Un petit bâtiment avec équipage anglais vous attend au fort de la Pointe.

4 a ☐ Puis-je vous dire des mots des miens ?
  b ☐ Puis-je vous dire deux mots des miens ?

5 a ☐ Un billet de son Éminence qui m'autorise à faire ce que je vais faire.
  b ☐ Un billet de son Éminence qui m'autorise à faire ce que je veux faire.

83

3 Observez attentivement le document, puis cochez la ou les bonne(s) réponse(s).

1 Ce document présente

    a   ☐ une fête commémorative.

    b   ☐ une reconstitution historique.

    c   ☐ une conférence.

2 La bataille évoquée a eu lieu au

    a   ☐ XIVe

    b   ☐ XIIIe   siècle.

    c   ☐ XVe

3 Le spectacle a lieu,

    a   ☐ en été

    b   ☐ en hiver

    c   ☐ au printemps.

4 Ce spectacle se déroulera en

    a   ☐ Provence.

    b   ☐ Aquitaine.

    c   ☐ Bretagne.

Production écrite et orale

1 Les organisateurs de la Bataille de Castillon cherchent des acteurs et des figurants âgés d'au moins 18 ans. Ils veulent recruter des jeunes ayant fréquenté un cours de théâtre, d'autres sachant monter à cheval, d'autres ayant des dons d'acrobate. Écrivez une lettre pour postuler à l'un de ces emplois : présentez-vous dites ce que vous savez faire, et demandez des renseignements sur les conditions de travail et d'hébergement.

CHAPITRE 7

Une affaire de famille

D'Artagnan, qui regagnait son logis, y trouva ses trois amis **réunis.** Athos réfléchissait, Porthos frisait sa moustache, Aramis disait ses prières.

— Pardieu, messieurs, quelle nuit ! Mais nous avons démantelé ce bastion. Je m'en vais me reposer !

Athos l'arrêta gravement :

— Nous avons à te parler... J'ai vu Milady...

— Comment ? Mais où cela ? s'inquiéta d'Artagnan.

— Tout près d'ici, à l'auberge du Colombier-Rouge...

— Elle est au Colombier-Rouge ?

— Non, à l'heure qu'il est, elle doit avoir quitté les côtes de France, en route pour l'Angleterre, pour aller tuer le duc de Buckingham...

Et Athos raconta à son ami les événements de la veille.

— Et maintenant, dit-il en guise de [1] conclusion, nous devons

---

1. **En guise de** : comme.

trouver un moyen de l'empêcher de mettre à exécution son projet !

— Elle ne doit pas tuer le duc de Buckingham ! dit d'Artagnan. Le duc est un ami ! Je pars pour Londres le prévenir ! J'y suis déjà allé une fois !

— Le duc est anglais, nous sommes en guerre. Si vous faisiez cela, ce serait une trahison ! J'ai peut-être une idée qui permettrait de mettre Milady hors d'état de nuire[1]...

— Quelle idée ? dirent ensemble les trois autres.

— Milady a un beau-frère, lord de Winter, qui est à Londres. Nous pouvons lui faire savoir que sa belle-sœur a décidé d'assassiner quelqu'un et lui demander de la surveiller ou de la retenir prisonnière !

— Oui, c'est une idée raisonnable, dit d'Artagnan. Mais lord de Winter est lui-même en danger. Je sais que Milady est sa seule héritière et qu'elle attend sa mort avec impatience !

— Eh bien, dit Aramis, écrivons donc ! Il prit sa plume, et écrivit. Puis, il dit :

— Écoutez !

> *Milord*
>
> *La personne qui vous écrit ces lignes a croisé l'épée[2] avec vous à Paris, il y a quelque temps, avant de gagner votre amitié. C'est au nom de cette amitié que je vous mets en garde contre une proche parente, qui est votre unique héritière. Cette femme, veuve de votre frère, était auparavant mariée avec un gentilhomme français*

---

1. **Hors d'état de nuire** : dans l'incapacité de faire du mal.
2. **Croiser l'épée** : se battre en duel.

> *qui vit toujours. Elle pourrait attenter à votre vie [1]. Elle a quitté La Rochelle pour l'Angleterre. Surveillez son arrivée, car elle a de terribles projets. Si vous tenez à savoir qui elle est véritablement, lisez son passé sur son épaule gauche.*

— Mais c'est parfait ! s'exclama Athos. Et maintenant, il nous reste à décider qui portera ce message.

Après bien des discussions, les quatre compagnons chargèrent Planchet, le serviteur de d'Artagnan, de la délicate mission. On lui donna seize jours pour aller à Londres et pour revenir au campement de La Rochelle.

Pendant qu'Athos, d'Artagnan, Aramis et Porthos complotaient ainsi contre elle, Milady naviguait vers l'Angleterre. Elle mit dix jours pour atteindre les côtes anglaises : la mer était mauvaise, les vents contraires et l'équipage anglais devait se méfier des soldats français. Elle arriva à Plymouth le jour où Planchet en repartait.

Le bateau de Milady entra dans la rade et allait jeter l'ancre, quand un petit canot s'approcha. Un officier monta à bord et ordonna au capitaine de repartir. À minuit, le capitaine jeta l'ancre dans un port inconnu. Puis, l'officier demanda à Milady de le suivre.

— Qui êtes-vous, monsieur, pourquoi avez-vous la bonté de vous occuper si particulièrement de moi ?

— Comme vous le voyez à mon uniforme, je suis un officier de la marine anglaise, madame, répondit le jeune homme. Il devait avoir vingt-cinq ans et son visage ne trahissait aucune émotion, aucun sentiment.

1. **Attenter** : mettre en danger.

— Mais enfin, insista Milady, pourquoi ?

— Il s'agit d'une mesure générale, car nous sommes en guerre, madame.

Il aida Milady à descendre à terre et lui offrit la main. Une voiture attendait.

— Si vous voulez bien monter, dit l'officier, l'hôtellerie est à l'autre bout de la ville.

— Allons-y, donc !

Elle monta résolument dans la voiture. Mais au bout d'un quart d'heure, elle se pencha vers la portière. Il n'y avait plus de maisons, mais seulement de grands arbres dans les ténèbres.

— Mais enfin, monsieur, où allons-nous ? Nous ne sommes plus en ville ! dit Milady en frissonnant d'inquiétude.

— Je vous conduis où je dois vous conduire, Milady. Et le jeune homme n'ajouta plus un mot. Enfin, la voiture s'arrêta dans la cour d'un château. Le jeune officier invita Milady à le suivre et la conduisit dans une chambre. L'ameublement était sobre, presque agréable, mais les barreaux aux fenêtres indiquaient à Milady qu'elle était prisonnière.

— Mais enfin, monsieur, s'écria-t-elle. Que signifie cela ? Où suis-je ? Suis-je prisonnière ? De qui ? Pourquoi ? Quel crime ai-je commis ?

— Madame, répondit le jeune homme, j'exécute les ordres que j'ai reçus. Ma mission est terminée. Une autre personne s'occupera de vous.

— Une autre personne ? Qui ?

À ce moment, on entendit dans le couloir des bruits de pas se rapprocher. La porte s'ouvrit, un homme s'avança dans la chambre et s'adressa à l'officier :

— C'est bien, je vous remercie, Felton. Maintenant, laissez-nous !

Les Trois Mousquetaires

— Quoi ! s'écria Milady, en reconnaissant l'homme. Vous ? Expliquez-moi donc !

— Mais oui, causons... Dites-moi pourquoi vous êtes revenue en Angleterre...

— Mais pour vous voir ! Qu'y a-t-il d'étonnant à cela ?

— Pour me voir ! Comme vous êtes tendre !

— Mais il n'y a rien de plus normal ! Ne suis-je pas votre plus proche parente ? demanda Milady, avec la plus touchante naïveté.

— Et vous êtes même ma seule héritière, n'est-ce pas ? dit lord de Winter en la regardant fixement dans les yeux.

Le coup était direct et avait porté. Mais lord de Winter fit semblant de ne pas voir le trouble de sa belle-sœur.

— Cette chambre est-elle à votre goût ? Vous manque-t-il quelque chose ? demanda-t-il le plus aimablement du monde.

— Mais je n'ai ni mes femmes ni mes gens...

— Vous aurez tout cela, madame. Dites-moi seulement comment votre premier mari avait monté votre maison et...

— Mon premier mari ! cria Milady.

— Oui... votre mari français... il vit encore, lui. Je pourrais lui écrire et lui demander...

— Vous m'insultez, hurla-t-elle.

— Non, madame, je ne vous insulte pas ! Je sais tout de vous ! Dans quelques jours, un vaisseau[1] viendra vous chercher, et vous conduira dans nos colonies du Sud. Ne cherchez pas à vous enfuir ! Les fenêtres donnent à pic sur la mer. J'ai donné des

---

1. **Un vaisseau** : bateau.

ordres, madame. Au moindre geste de votre part, mes hommes pourront tirer sur vous.

Il se leva et appela :

— Felton !

Le jeune officier entra.

— Entrez, mon cher John, et regardez cette femme : elle est jeune, belle, elle a toutes les séductions, mais c'est un monstre. Jurez-moi, Felton, de la surveiller, pour qu'elle ait le châtiment qu'elle mérite. Jurez qu'elle ne sortira pas de cette chambre, qu'elle ne correspondra avec personne.

— Je vous le jure, Milord.

Et lord de Winter sortit suivi de Felton, qui ne jeta même pas un regard sur Milady.

Compréhension écrite et orale

1 **Lisez attentivement le chapitre, puis répondez aux questions.**

1 Pourquoi d'Artagnan ne peut-il pas avertir le duc de Buckingham du danger qu'il court ?

....

2 À qui les mousquetaires écrivent-ils pour arrêter Milady dans ses projets criminels ?

....

3 Qui attend Milady à son arrivée à Plymouth ?

....

4 Où la conduit-on ?

....

5 À qui obéit Felton ?

....

6 Quel sort attend Milady ?

....

2 **Écoutez attentivement l'enregistrement, puis cochez les affirmations qui sont correctes.**

1 ☐ Grâce à la protection des îles de Ré et d'Oléron, La Rochelle se trouve exposée aux marées du grand large.

2 ☐ Le nom La Rochelle signifie « grande roche ».

3 ☐ La ville était habitée par des pêcheurs.

4 ☐ On construisit les remparts de la ville sous François 1er.

5 ☐ On y effectuait le commerce du charbon et du coton.

6 ☐ Le port a été agrandi pour recevoir aussi les chalutiers.

7 ☐ Les maisons remontent aux XVe et XVIIe siècles.

8 ☐ Dans la ville, l'art gothique est prépondérant.

Grammaire

Les adjectifs numéraux cardinaux et leurs particularités

- Jusqu'à **cent**, pour les adjectifs composés de deux adjectifs numéraux, on met un trait d'union. **Attention !** Les adjectifs reliés par la conjonction de coordination **et** ne prennent pas de traits d'union.
  vingt-deux   cinquante et un

- **Vingt** et **cent** prennent un **s** quand ils sont multipliés et qu'ils ne sont suivis d'aucun autre adjectif numéral.
  quatre-vingts, deux cents
  MAIS
  quatre-vingt-deux, deux cent deux, cent vingt

- **Mille** est toujours invariable.
  deux mille ans

- Le **x** de **six** et de **dix** se prononce [s] si l'adjectif n'est suivi d'aucun substantif et [z] si l'adjectif est suivi d'une voyelle ou d'un **h** muet.

Les adjectifs numéraux ordinaux et leurs particularités

- Ces adjectifs servent à établir un classement. On ne les utilise pas pour les noms de rois ou de papes, sauf pour le premier et le deuxième de la série.
  François 1ᵉʳ (François premier) MAIS *Napoléon III* (Napoléon trois)

- À partir de trois, on ajoute le suffixe **-ième** à l'adjectif numéral cardinal correspondant.
  *trois**ième**   cinqu**ième***

- Le **e** final des adjectifs numéraux cardinaux tombe avant l'ajout du suffixe.
  *onze → onz**ième***

Remarque

- Pour les siècles, on dit le XIIIᵉ siècle pour indiquer les années qui vont de 1200 à 1299, on utilise les adjectifs contractés **au** et **du**.
  *Les luttes huguenotes **du** XVᵉ **au** XVIIᵉ siècle.*

- Comme tous les adjectifs, ils s'accordent en genre et en nombre avec le nom qu'ils accompagnent.

1 Lisez la présentation du film *Le Capitan*, puis répondez aux questions en écrivant les adjectifs numéraux en toutes lettres.

20h50
CINÉMA

GENRE	ANNÉE	DURÉE	PUBLIC
Aventures	1960	1h40	Adultes, ados

LE CAPITAN

FILM FRANCO-ITALIEN, EN COULEUR, D'ANDRÉE HUNEBELLE.

Scénario de Jean Halain,
Pierre Foucaud et André Hunebelle,
d'après le roman de Michel Zévaco.
Musique de Jean Marion.

Avec **Jean Marais** : François de Capestang
• **Elsa Martinelli** : Gisèle d'Angoulême
• **Bourvil** : Cogolin
• **Arnoldo Foá** : Concino Concini
• **Pierrette Bruno** : Giuseppa
• **Jacqueline Porel** : Léonora Galigai
• **Lise Delamare** : Marie de Médicis
• **Christian Fourcade** : Louis XIII
• **Guy Delorme** : Rinaldo

JEAN MARAIS
BOURVIL
ELSA MARTINELLI
DANS UN FILM DE
ANDRÉ HUNEBELLE

En 1616, Marie de Médicis gouverne la France avec son favori, Concino Concini, qui rêve de se débarrasser définitivement du jeune roi Louis XIII, alors âgé de 15 ans. Rinaldo, l'un des sbires de Concini, multiplie les exactions à la tête de ses hommes. C'est ainsi que François de Capestang, un jeune gentilhomme gascon sans fortune, doit combattre les pillards qui s'attaquent au château du marquis de Teynac...

NOTRE AVIS
C'est le succès du *Bossu*, tourné l'année précédente, qui incita André Hunebelle à reformer le duo Jean Marais-Bourvil dans ces aventures historico-romanesques qui restent l'une des plus belles réussites du cinéma de cape et d'épée à la française.

1 À quelle heure le film passe-t-il à l'antenne ?

2 Quand ce film a-t-il été tourné ?

3 Combien de temps ce film dure-t-il ?

4 Quel rôle Christian Fourcade interprète-t-il ?

5 À quelle époque se situe l'action du film ?

6 Quel âge a le roi au début du film ?

2 Complétez les phrases en écrivant les nombres en toutes lettres. N'oubliez pas les prépositions !

Voltaire (écrivain) : 1694- 1778

Madame de Sévigné (écrivain) : 1626-1696

Greuze (peintre) : 1725-1805

François Truffaut (cinéaste) : 1932-1984

1 Voltaire est mort ...., ... siècle.

2 Madame de Sévigné est née .... Elle a vécu .... siècle.

3 Greuze est né .... siècle et il est mort .... siècle.

4 François Truffaut a vécu .... siècle. Il est mort ....

Enrichissez votre **vocabulaire**

1 Quel est le masculin ou le féminin de ces titres de noblesse ?

Masculin	Féminin
un empereur	
	une reine
	une princesse
un duc	
	une marquise
un comte	
un vicomte	
un baron	

2 Complétez le tableau.

Personne	Action	Verbe
un espion		
	une trahison	
		conspirer
	la fuite	
	un complot	

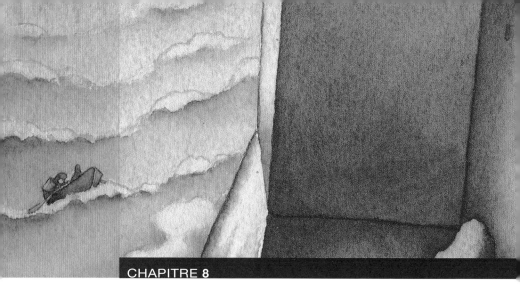

CHAPITRE 8

L'évasion

Après un premier moment de désespoir, Milady retrouva courage. « Rien n'est perdu, je suis toujours belle ! je vais combattre avec mes armes ! » pensa-t-elle.

Elle savait qu'elle ne pourrait jamais séduire son beau-frère, mais il lui restait Felton. Quand elle entendit approcher les pas du jeune officier, elle se jeta sur son fauteuil, la tête renversée en arrière, ses beaux cheveux dénoués et épars [1], sa gorge nue sous les dentelles, une main sur le cœur et l'autre pendante.

— Posez ceci sur cette table, ordonna Felton à un serviteur qui apportait le souper de Milady. Faites relever la sentinelle [2].

Puis, Felton se tourna vers Milady :

— Ah ! Elle dort. À son réveil, elle soupera.

Et il sortit.

---

1. **Dénoué et épars** : détaché, en désordre.
2. **Faire relever la sentinelle** : faire venir un autre soldat.

Felton était resté insensible.

Il revint le lendemain soir. Mais cette fois-ci, il s'approcha de Milady. Il tenait un livre à la main.

— Lord de Winter, qui est catholique comme vous, ne veut pas vous priver des rites de votre religion. Voilà donc un livre, qui contient le rituel de votre messe.

L'espace d'un instant, Milady sentit passer du mépris [1] dans la bouche de Felton. « C'est un protestant, c'est un puritain ! » pensa-t-elle. Elle se dressa, feignant l'indignation.

— Ma messe ! Que dites-vous, monsieur ! Lord de Winter, ce catholique corrompu, sait bien que je ne suis pas de sa religion !

— Mais de quelle religion êtes-vous donc ?

— Je ne vous le dirai que lorsque j'aurai souffert pour ma foi.

Elle vit passer une lueur dans le regard de Felton. Elle comprit qu'elle venait de pénétrer dans le cœur de cet homme de marbre. Désormais, dès qu'elle l'entendait venir, elle se mettait à genoux, récitait des prières ou chantait de sa voix magnifique des psaumes [2] puritains. Felton l'écoutait et au bout de trois jours, il ne voyait plus en elle qu'une sainte martyre, la victime d'incroyants comme lord de Winter ou le duc de Buckingham, qui devait signer l'ordre de la déporter.

Le dernier soir de sa captivité, lord de Winter entra dans la chambre de Milady.

— J'ai envoyé Felton faire signer l'ordre de déportation par monsieur de Buckingham, dit-il. Demain, vous nous quittez. Adieu, Milady.

1. **Le mépris** : manque de considération.
2. **Un psaume** : chant religieux.

Les Trois Mousquetaires

« C'est trop tard ! Tout est perdu ! » pensa Milady en marchant dans sa chambre.

Dehors, l'orage se déchaînait. Tout à coup, elle entendit frapper à une vitre et à la lueur d'un éclair, elle reconnut un visage.

« Felton ! Je suis sauvée ! »

Felton, suspendu au-dessus de l'abîme [1] par une corde, sciait les barreaux de la fenêtre !

— Passez vos bras autour de mon cou et ne craignez rien, ordonna-t-il à Milady.

Ils descendirent ainsi le long de la haute muraille. Une fois au sol, il entraîna Milady vers une petite barque qui attendait. Ils s'éloignèrent de la côte et rejoignirent un voilier, ancré au large.

— Vous êtes sauvée, dit Felton. Maintenant, je dois aller à Portsmouth, où le duc de Buckingham se prépare à partir pour La Rochelle avec la flotte.

— Il ne faut pas qu'il parte ! s'écria Milady, se rappelant les ordres du cardinal.

— Il ne partira pas, soyez tranquille.

Milady tressaillit [2] de joie : elle avait compris que Felton tuerait Buckingham. Ainsi, il accomplirait pour elle la mission dont le cardinal l'avait chargée, elle pourrait rentrer victorieuse en France.

— Restez sur ce bateau, dit lord Felton. Attendez-moi jusqu'à dix heures. Le capitaine est à vos ordres. Il partira quand vous le lui direz.

---

1. **Un abîme** : précipice.
2. **Tressaillir** : sursauter.

Les Trois Mousquetaires

Il se rendit à Portsmouth et se fit annoncer chez le duc de Buckingham.

— Monsieur, dit-il, je viens vous demander la liberté de Milady.

— Mais c'est une criminelle, un monstre ! Monsieur de Winter m'a tout raconté ! Je signerai au contraire son ordre de déportation !

— Non, monsieur. Milady est un ange et vous ne la condamnerez pas !

Et il lui enfonça un poignard dans la poitrine.

Felton n'eut pas le temps de s'enfuir. Un domestique qui avait tout vu donna l'alarme. Des gardes l'arrêtèrent immédiatement. On l'entraîna sur une terrasse pour le pendre. Au loin, il vit une voile blanche, qui naviguait vers la France. C'était le bateau de Milady.

— Une grâce ! implora-t-il au garde qui lui liait les mains.

— Laquelle ?

— Quelle heure est-il ?

— Neuf heures moins dix, répondit le garde.

Ainsi Milady l'avait trahi.

— Dieu l'a voulu, dit-il avec résignation.

La nouvelle de la mort de Buckingham arriva vite en France et rassura Richelieu. Buckingham mort, les Rochelais restaient seuls, prisonniers de leur propre ville.

Cependant, tout le monde s'ennuyait ferme [1] devant La Rochelle. Le roi regrettait les distractions de la cour ; les mousquetaires rêvaient de folles chevauchées et d'entreprises

---

1. **S'ennuyer ferme** : s'ennuyer beaucoup.

glorieuses. Une lettre d'une cousine d'Aramis vint les distraire. Aramis la lut à ses compagnons :

> *Mon cher cousin,*
>
> *Je crois bien que je me déciderai à partir pour Béthune pour le couvent des Carmélites, où la reine a fait entrer notre fidèle servante... Elle n'est pas trop malheureuse. Tout ce qu'elle désire, c'est une lettre de son amoureux... Adieu, cher cousin, et donnez-nous de vos nouvelles.*

— Elle est vivante ! Elle est à Béthune, elle m'aime ! s'exclama d'Artagnan.

— Eh bien, dit Aramis, quand le siège sera levé, nous irons la chercher dans son couvent !

Les mousquetaires ignoraient que Milady était, elle aussi, en route vers Béthune, où le cardinal lui avait ordonné d'aller attendre ses ordres.

Compréhension écrite et orale

1 Écoutez attentivement l'enregistrement du chapitre, puis répondez aux questions.

1 Quelle arme Milady décide-t-elle d'utiliser tout d'abord pour obtenir l'aide de Felton ?

....

2 À quelle autre arme Felton sera-t-il sensible ?

....

3 Par où Felton l'aide-t-il à s'échapper ?

....

4 Que fait Felton pour Milady ?

....

5 Quand Felton comprend-il que Milady l'a trahi ?

....

6 Quelle bonne nouvelle d'Artagnan reçoit-il ?

....

2 Lisez attentivement le texte, puis répondez aux questions.

Mata-Hari arrive à Paris à 25 ans, au début du XXᵉ siècle. Elle devient vite célèbre comme danseuse orientale et s'exhibe sur les plus grandes scènes européennes. En 1916, elle rencontre le chef des services du contre-espionnage français, qui, en échange d'une très forte somme d'argent, l'envoie à Madrid où six agents français seraient passés au service de l'ennemi. Mais à son retour à Paris, en février 1917, Mata-Hari est arrêtée ; elle est condamnée à mort en juillet et exécutée en octobre.

Réveillée à l'aube du 15 octobre 1917 par un groupe de messieurs au visage et aux vêtements funèbres, elle se serait écriée : « Quelle manie ont les Français de fusiller les gens à l'aube ! J'aurais mieux aimé aller à Vincennes dans l'après-midi après un bon déjeuner. » Elle refuse en riant de se déclarer enceinte comme le suggère à voix basse le dernier de ses amants à lui demeurer fidèle, son avocat Clunet.

Elle rassure la religieuse en larmes : « Vous allez voir une belle mort. » Elle s'habille longuement, avec soin. Retrouvant une capeline que la détention ne lui avait guère fourni l'occasion de porter, elle remarque : « Tiens, ce chapeau me va encore ». Propos écervelés d'un oiseau heureux de quitter sa cage, même pour la plus sombre destination ? Détachement d'une victime devant le dénouement trop longtemps différé d'une sinistre farce ? Arrivée sur les lieux, elle passe sans hâte et sans trouble devant les douze hommes présentant les armes à celle qui va mourir. Elle refuse de se laisser attacher, repousse aussi l'habituel bandeau. Comme retenti le cri : « Feu ! », elle envoie du bout des doigts un dernier baiser à son avocat.

1   Quel était le métier de Mata-Hari à son arrivée à Paris ?
   ....

2   Selon ce récit, comment Mata-Hari affronte-t-elle son exécution ?
   ....

3   Quel stratagème lui suggère son avocat pour échapper à la mort ?
   ....

4   Comment est-elle exécutée ?
   ....

5   Comment l'auteur de ce récit explique-t-il l'attitude de Mata-Hari ?
   ....

6   À qui vont les dernières pensées de Mata-Hari ?
   ....

CHAPITRE 9

Le couvent des Carmélites

Louis XIII s'ennuyait trop devant La Rochelle. Il voulut aller incognito passer les fêtes de Saint-Louis à Paris et demanda à monsieur de Tréville une escorte. D'Artagnan, Athos, Porthos et Aramis furent choisis. Une fois à Paris, ils obtinrent un congé de cinq jours. Ils partirent pour Béthune pour faire sortir Constance du couvent. Aramis avait d'ailleurs reçu un ordre de la reine, autorisant Constance à quitter les Carmélites.

Ils s'arrêtèrent à Arras. Comme ils allaient entrer dans une auberge, d'Artagnan vit passer un cavalier : c'était l'homme de Meung qu'il avait vu avec Milady. Il voulut l'arrêter, mais l'homme était déjà loin. Il avait laissé tomber, cependant, un papier, que d'Artagnan ramassa. Il y lut un seul mot : « Armentières ». D'Artagnan frémit. C'était l'écriture de Milady.

— Tout cela ne me plaît pas ! dit-il.

— Vous avez raison, dit Athos. Hâtons-nous [1] de retrouver

---

1. **Se hâter** : faire vite.

votre petite lingère !

Ils partirent au galop vers Béthune.

Au même moment, Milady entrait au couvent des Carmélites. La mère supérieure, qui l'avait accueillie, bavardait avec elle, en la conduisant dans sa chambre.

— N'allez-vous pas vous ennuyer ici, madame ? Vous êtes habituée à la cour, à fréquenter des gens de bien.

— Je suis ici par la volonté de son Éminence, répondit Milady. Je ne sais combien de temps je devrai rester dans cette retraite [1].

— Je puis vous envoyer une jeune femme, qui avait, elle aussi, ses entrées à la cour [2]. Elle pourrait vous tenir compagnie... Elle se cache chez nous, mais on devrait bientôt venir la chercher...

— Ah oui ? dit Milady, intriguée. Eh bien, faites-la donc venir. J'aurai plaisir à parler avec elle.

Peu de temps après, Constance frappait à la porte de Milady. Elle ne l'avait jamais vue, elle ne savait pas qu'elle était la cause de tous ses malheurs.

— Eh bien, dit Milady en la voyant, la mère supérieure m'a dit que vous avez eu bien des misères et que vous vous cachez...

Constance, confiante, lui raconta toutes ses mésaventures. Milady continua :

— Mais on m'a dit que vous allez bientôt retrouver votre liberté.

— Oui, madame. Un mousquetaire va venir me chercher.

— Un mousquetaire ? Un mousquetaire de la compagnie de monsieur de Tréville ?

— Vous connaissez monsieur de Tréville ?

---

1. **Une retraite** : ici, fait de se mettre à l'écart.
2. **Avoir ses entrées à la cour** : ici, avoir le privilège de rentrer dans la cour du roi.

Les Trois Mousquetaires

— Bien sûr, j'ai été souvent reçue chez lui.

— Alors vous connaissez ses mousquetaires. Vous connaissez monsieur Athos ?

À ce nom, Milady fit un effort surhumain pour répondre calmement :

— Oui, bien sûr, et messieurs Aramis et Porthos.

— Alors, vous connaissez aussi monsieur d'Artagnan ?

Constance était tout heureuse de pouvoir parler de l'homme qu'elle aimait. En entendant nommer son pire ennemi, Milady se mordit les lèvres :

— Bien sûr, je le connais... Tout le monde à Paris admire sa bravoure.

Constance continua imprudemment :

— C'est lui qui doit venir me chercher.

Elle ne vit pas l'éclair de méchanceté passer dans les yeux de Milady.

On entendit alors un bruit de galop. Constance se précipita à la fenêtre et reconnut d'Artagnan.

— C'est lui ! Oh, que je suis heureuse ! Comme mon cœur bat vite !

— Buvez donc un peu de vin ! Vous êtes devenue si pâle.

Milady fit tomber dans le vin une poudre rouge cachée dans le chaton[1] de sa bague. Elle tendit le verre à Constance.

— Buvez ! répéta-t-elle avant de disparaître par une petite porte qui donnait sur le jardin.

D'Artagnan entra à ce moment.

— Mon bien-aimé, je savais que tu viendrais. Oh... ma tête se

---

1. **Un chaton** : partie de la bague où se trouve la pierre.

trouble... Je ne vois plus rien... D'Arta...

Et Constance tomba.

— À moi, cria d'Artagnan ! Mes amis, aidez-moi !

À ces cris, les trois mousquetaires se précipitèrent dans la chambre. Athos vit tout de suite le verre sur la table.

— Oh, non ! s'écria-t-il ! Dieu ne peut pas permettre un tel crime !

Mais Constance rouvrait les yeux. Athos courut près d'elle.

— Ce vin, dit-il, qui vous a donné ce vin ?

— Mais elle... la dame qui était ici... La comtesse de Winter...

Les quatre amis poussèrent un même cri, pendant que Constance rendait son dernier soupir dans les bras de d'Artagnan.

Athos, Aramis et Porthos regardaient pleins d'effroi d'Artagnan penché sur le corps de Constance.

Un homme entra. C'était lord de Winter :

— Messieurs, j'ai quitté Portsmouth sur les traces de ma belle-sœur...

D'Artagnan se releva.

— Ami, lui dit Athos, sois un homme ! Les femmes pleurent les morts, les hommes les vengent ! C'est là son dernier crime, d'Artagnan, je te le promets. Veux-tu nous suivre ?

— Je vous suivrai, répondit d'Artagnan.

— Messieurs, dit lord de Winter, permettez-moi de me joindre à vous, je me dois de venger l'honneur de ma famille.

Avant de quitter le couvent, Athos recommanda à la mère supérieure de donner une digne sépulture à Constance.

— Ce fut un ange sur la terre, dit-il. Nous reviendrons un jour prier sur sa tombe.

Compréhension écrite et orale

1 Lisez attentivement le chapitre, puis complétez le résumé.

Louis XIII a décidé d'aller (**1**) .... et (**2**) ....
l'escortent. Une fois à Paris, ils demandent un congé pour se rendre à
(**3**) .... pour (**4**) .... Ils croisent (**5**) ....
qui laisse tomber un billet sur lequel (**6**) ....

Pendant ce temps, Milady est accueillie au (**7**) ...., où elle
doit attendre (**8**) .... La mère supérieure lui fait connaître
(**9**) .... Celle-ci, sans se méfier, lui raconte
(**10**) .... Milady comprend qu'elle va pouvoir se venger de
(**11**) ....

Tout à coup, Constance entend le galop de chevaux. C'est
(**12**) .... ! Elle est folle de joie, mais Milady lui donne
(**13**) .... dans lequel elle a versé (**14**) ....

D'Artagnan arrive, il a à peine le temps d'embrasser Constance qui
(**15**) .... dans ses bras. Athos comprend tout : Milady
(**16**) .... Constance ! Avec (**17**) ...., d'Artagnan,
(**18**) .... et Porthos, il décide de partir (**19**) ....

2 Lisez le texte, puis cochez la bonne réponse.

La famille de Richelieu est originaire de la ville de Richelieu en Indre-
et-Loire depuis le XVe siècle. C'est en 1585 qu'est né Armand du Plessis,
connu plus tard sous le nom de cardinal de Richelieu. Lorsqu'il devint
ministre, il donna l'ordre à Jacques Lemercier de construire un château
sur l'emplacement de la ville de Richelieu. Il reste quelques vestiges de
ce château. Tout au long de sa vie, il accumula un trésor inestimable et
embellit son domaine de magnifiques œuvres d'art. Malheureusement,
pendant la Révolution, le château fut pillé et les révolutionnaires
voulurent montrer leur mépris envers un ministre qui avait consacré
toute son existence à la gloire du roi et à son hégémonie. La ville de
Richelieu devient en été le cadre d'un festival de cape et d'épée
pendant lequel on organise des projections de films, des ateliers de
lecture de récits d'aventures, des spectacles dans les rues et de
multiples expositions.

1 Quand Richelieu a-t-il vécu ? Au

   a ☐ Xe

   b ☐ XVe   siècle.

   c ☐ XVIe

2 Comment s'appelle le cardinal de Richelieu ?

   a ☐ Louis

   b ☐ Louis Ferdinand   du Plessis.

   c ☐ Armand

3 Par qui le château a-t-il été endommagé ? Par les

   a ☐ nobles.

   b ☐ révolutionnaires.

   c ☐ tortionnaires.

4 De nos jours, quel festival a lieu à Richelieu ? Un festival

   a ☐ de représentations théâtrales.

   b ☐ du film fantastique.

   c ☐ de cape et d'épée.

3 **Lisez la présentation de ce nouveau feuilleton télévisé, puis répondez aux questions.**

Justice pour tous

 france 2   20h45

Épisode pilote : *Marine*

Série française

Julien Bertin est au fond du gouffre depuis qu'il a perdu sa femme et sa fille. Il veut tirer un trait sur sa brillante carrière d'avocat et se retirer du cabinet qu'il a fondé avec Vincent Châtel, son ami de toujours. Le jour où il fait ses cartons, une jeune maman, Anne Larousse, force la porte de son bureau. Sa petite fille, Marine, a été mordue au visage par un chien d'attaque qui se serait échappé de chez son propriétaire. L'affaire a été classée sans suite. Anne Larousse veut connaître la vérité et qu'un responsable soit désigné. Julien Bertin accepte de lui venir en aide...

1 Sur quelle chaîne passe ce feuilleton ?

....

2 Quelle est la profession de Julien Bertin ?

....

3 Pourquoi Julien Bertin veut-il se retirer ?

....

4 Qui le décide à ne pas abandonner son métier ?

....

5 Pourquoi Anne a-t-elle besoin de Julien ?

....

Grammaire

Le pluriel des noms composés

Pour former le pluriel des noms composés, il faut s'armer de bon sens.

- **Noms composés de deux noms communs ou d'un adjectif qualificatif et d'un nom**
  Ils s'accordent tous les deux.
  un coffre-fort → *des coffres-forts*
  un grand-père → *des grands-pères*

  un gentilhomme (ce n'est pas tout à fait un nom composé puisqu'il n'y a pas de trait d'union entre **gentil** et **homme**, mais il se comporte comme tel) → *des gentilshommes*.

  Attention ! Il faire faut la liaison [z] dans les mots :
  gentilshommes et *bonshommes*.

  Même chose pour *madame* qui fait *mesdames*.

- **Noms composés d'un nom commun et d'un adverbe, d'une préposition ou d'un verbe**
  Seul le nom prend la marque du pluriel.
  un signe avant-coureur → *des signes avant-coureurs*
  un avant-poste → *des avant-postes*

  Attention ! le mot *garde* a souvent la signification de *gardien*, donc il s'accorde, sauf quand il se rapporte au verbe.
  des gardes-chasses MAIS *des garde-fous*.

• **Noms composés de deux adjectifs**
Ils prennent tous les deux la marque du pluriel.
*des serviteurs sour**s**-muet**s**   des enfants dernier**s**-né**s***

Attention ! On écrit des nouveau-né**s**.

• **Noms composés d'un nom commun suivi d'une préposition et d'un autre nom commun**
Seul le premier nom commun s'accorde.
un chef-d'œuvre → *des chef**s**-d'œuvre   un arc-en-ciel* → *des arc**s**-en-ciel*

1 Mettez les noms composés entre parenthèses au pluriel.

D'Artagnan sortit tôt ce matin-là. La pluie tombait sans répit. Malgré tout, le soleil parvenait à transpercer les nuages dessinant à l'horizon une série d'(*arc-en-ciel*) (**1**) .... multicolores. La veille, il avait eu des (*avant-goût*) (**2**) .... d'aventure, mais ce qui l'attendait n'avait rien à voir avec ces quelques broutilles. Il avait évité les (*garde-chasse*) (**3**) .... de son ennemi le plus acharné : il avait reconnu leur livrée. Pour traverser les terres de ce noble présomptueux, il avait pu, grâce à un subterfuge, se faire délivrer plusieurs (*laissez-passer*) (**4**) .... Avant d'intercepter les (*contre-ordre*) (**5**) .... de Sa Majesté, il avait réussi à atteindre son but. Pour ce faire il avait utilisé des (*prête-nom*) (**6**) .... auxquels il avait remis des ordres très stricts. Il s'arrêta à l'auberge du Cheval Rouge et observa les incessants (*va-et-vient*) (**7**) .... de cavaliers à l'allure mystérieuse.

2 Formez les noms composés, puis mettez-les au pluriel.

1	☐ brûle	**a**	lieu	....
2	☐ porte	**b**	obscur	....
3	☐ chasse	**c**	mouche	....
4	☐ chef	**d**	neige	....
5	☐ casse	**e**	boutique	....
6	☐ oiseau	**f**	noix	....
7	☐ arrière	**g**	parfum	....
8	☐ clair	**h**	plume	....

Enrichissez votre **vocabulaire**

1 Relevez dans le chapitre tous les mots appartenant au champ lexical de la justice et des châtiments.

2 Complétez le texte à l'aide des définitions.

a   Action ou pouvoir de punir.

b   Pouvoir d'action.

c   Endroits où est rendue la justice.

d   Punition.

e   Personne dont le métier était d'exécuter une sentence.

f   Personne qui a été jugée et reconnue coupable.

g   Dérobé, commis un larcin.

h   Exil dans un lieu déterminé.

Au XVIIᵉ siècle, on rendait (**a**) .... de façon sommaire. Le seigneur avait (**b**) .... de vie ou de mort sur les gens qui habitaient ou qui passaient sur ses terres. Durant les guerres de religion, un rien suffisait pour être accusé de sorcellerie par les (**c**) .... ecclésiastiques et la sentence était toujours la même : la (**d**) .... capitale exécutée par un (**e**) .... qui portait une cagoule pour ne pas être reconnu, car ce métier avait évidemment une très mauvaise réputation ! On amenait le (**f**) .... sur le bûcher et le pauvre mourait brûlé vif. Les brigands étaient traduits devant des (**c**) .... et étaient condamnés à la pendaison. Ceux qui avaient (**g**) .... étaient marqué pour qu'on les reconnaisse. Déjà à partir de la moitié du XVIIᵉ siècle, la (**h**) .... dans les terres du Nouveau Monde était chose fréquente, surtout pour les femmes !

Avant de lire

1 Les mots suivants sont utilisés dans le chapitre 10 et appartiennent au champ lexical de la justice. Associez chaque mot à la définition correspondante.

a juger **c** accuser **e** prouver

b un jugement **d** la peine de mort **f** un crime

1 ☐ Rendre la justice, dire si une personne est coupable ou pas.

2 ☐ En France, jusqu'en 1981, condamnation à mourir pour avoir commis un crime.

3 ☐ Verdict rendu par un juge dans un tribunal.

4 ☐ Établir la vérité au moyen de preuves.

5 ☐ Dire de quelqu'un qu'il a commis une faute.

6 ☐ Infraction grave punie par la loi.

2 Les mots suivants sont utilisés dans le chapitre 10. Associez chaque mot à l'image correspondante.

a un manteau **b** un masque **c** une cabane **d** une plume

CHAPITRE 10

Le jugement

Armentières ! dit Athos. C'est là qu'il faut aller !

À Armentières, ils envoyèrent Planchet dans la seule auberge du village. Planchet offrit du vin, fit parler les aubergistes. Dix minutes plus tard, il savait qu'une femme y était arrivée dans la nuit.

— C'est elle, j'en suis sûr ! dit Athos.

— Elle est dans sa chambre, allons la prendre, tuons-la ! dit Porthos.

— Non, messieurs, nous ne sommes pas des assassins. Planchet, reste ici et surveille-la ! Si elle sort, suis-la. Nous avons à faire au village voisin.

Arrivé au village, Athos dit à ses compagnons :

— Attendez-moi, je reviens.

Il dit ces paroles si calmement, si résolument, que les autres ne lui posèrent aucune question. Il partit au galop et revint un quart d'heure après, accompagné d'un homme masqué, enveloppé dans un long manteau rouge. Porthos, Aramis et d'Artagnan s'interrogèrent du regard, mais aucun d'eux n'osa poser de question à Athos.

Les Trois Mousquetaires

— Maintenant, nous pouvons aller chercher Milady, décida Athos.

La nuit était sombre et orageuse. De gros nuages noirs couraient dans le ciel. Le sinistre cortège traversait la forêt vers Armentières, quand Planchet sortit de derrière un arbre.

— Que se passe-t-il ? interrogea Athos. Elle s'est enfuie ?

— Non, dit Planchet. Mais elle n'est plus à l'auberge. Elle est tout près d'ici, suivez-moi.

Et il les conduisit jusqu'à une petite maison misérable, au bord d'une rivière, la Lys...

Athos s'approcha de la fenêtre. À la faible lueur du feu de cheminée, il la vit dans un manteau sombre. Un cheval hennit [1]. Milady leva la tête et poussa un cri.

Athos brisa du genou la fenêtre. Il était déjà dans la cabane. Elle courut à la porte et trouva d'Artagnan.

— Que voulez-vous ? cria-t-elle terrorisée.

— Nous voulons juger Anne de Breuil, comtesse de la Fère, Lady de Winter, dit solennellement Athos.

D'Artagnan s'avança :

— Devant Dieu et devant les hommes, j'accuse cette femme d'avoir empoisonné Constance Bonacieux !

Lord de Winter s'avança à son tour :

— Devant Dieu et devant les hommes, j'accuse cette femme d'avoir fait assassiner le duc de Buckingham, d'avoir empoisonné mon frère, mort en trois heures d'une étrange maladie qui lui a laissé des traces livides sur tout le corps.

Puis, ce fut le tour d'Athos :

1. **Hennir** : émettre son cri pour le cheval.

— J'accuse cette femme de m'avoir trompé, de m'avoir épousé sous une fausse identité, alors qu'elle était marquée d'une fleur de lys sur l'épaule gauche.

— Oh ! dit Milady. Je vous défie de trouver le tribunal qui a prononcé cette sentence ! Vous ne pouvez rien prouver !

Alors, l'homme masqué s'avança :

— Silence ! Moi, je peux tout prouver !

— Qui est cet homme ? hurla Milady, folle de terreur.

L'inconnu s'approcha d'elle et ôta son masque.

— Non ! hurla Milady. Ce n'est pas lui ! C'est une apparition infernale !

— Mais qui êtes-vous donc ? demandèrent Porthos et Aramis.

— Le bourreau de Lille ! C'est le bourreau de Lille ! hurla Milady. C'est lui qui a exécuté le jugement du tribunal de Lille ! C'est lui qui m'a marquée !

Et se sentant perdue, elle tomba à terre, les mains jointes :

— Grâce ! Pardon !

Athos se tourna vers ses compagnons :

— Je demande contre cette femme la peine de mort, pour les crimes qu'elle a commis. Messieurs, quelle peine prononcez-vous contre cette femme ?

— La peine de mort, répondirent d'une voix sourde Porthos, Aramis, d'Artagnan et Lord de Winter.

Le bourreau s'approcha de Milady et lui lia les mains. Puis il sortit de la cabane en traînant Milady. Ils approchèrent de la rivière. Le bourreau fit monter Milady sur une barque.

Elle se mit à hurler :

— Vous êtes des lâches, des assassins ! Vous vous mettez à cinq pour tuer une femme !

— Vous n'êtes pas une femme, dit Athos. Vous êtes un

démon ! Vous appartenez à l'enfer et vous allez y retourner.

La barque s'éloigna vers l'autre rive... Les quatre compagnons entendirent le sifflement de l'épée et le cri de la victime. Ils virent alors le bourreau enlever son manteau rouge, l'étendre par terre et y déposer le corps et la tête de Milady. Il le noua [1] et le mit dans la barque. Arrivé au milieu de la rivière, il laissa tomber le corps dans l'eau en criant : « Laissez passer la justice de Dieu ».

Le cardinal s'étonna de la disparition de Milady. Il fit appeler d'Artagnan.

— Monsieur, lui dit-il, je sais que vous êtes une des dernières personnes à avoir vu Lady de Winter au couvent de Béthune. J'ai besoin de Milady. Vous savez que c'est un crime que de faire obstacle aux plans du cardinal...

— Madame de Winter était une criminelle, dit d'Artagnan.

Et il raconta au cardinal qui était vraiment Milady.

— Mais si madame de Winter a commis tous ces crimes, elle sera punie, dit le cardinal, troublé par les révélations de d'Artagnan.

— Elle l'est déjà, Monseigneur.

— Qui l'a punie ? Où est-elle ?

— Nous l'avons jugée et condamnée, elle est morte.

— Morte ! s'exclama le cardinal. Mais vous ne savez donc pas, monsieur d'Artagnan, que seuls les juges peuvent condamner.

— Je le sais, Monseigneur... Mais je pourrais dire que ce que j'ai fait, je l'ai fait sur votre ordre...

— Comment, sur mon ordre ? s'exclama le cardinal. Vous vous moquez de moi !

---

1. **Nouer** : lier, attacher.

Les Trois Mousquetaires

— Non, Monseigneur. En voici la preuve.

Et d'Artagnan tendit au cardinal le billet qu'Athos avait repris à Milady.

Le cardinal lut à haute voix :

> *C'est par mon ordre et pour le bien de l'État que le porteur du présent a fait ce qu'il a fait.*
> *3 décembre 1627*
>
> *Richelieu*

Le cardinal considéra un long moment sans dire un mot ce jeune homme qui avait déjoué ses plans [1] et avait l'audace de se présenter devant lui, la tête haute. Il prit sa plume, écrivit, puis déclara :

— Monsieur d'Artagnan, vous êtes brave, juste, loyal [2] et audacieux. Vous avez toutes les qualités d'un mousquetaire. Tenez et faites de ce brevet ce qu'il vous plaira.

Richelieu venait de nommer d'Artagnan lieutenant des mousquetaires.

1. **Déjouer les plans de quelqu'un** : faire échouer les projets de quelqu'un.
2. **Loyal** : juste, honnête.

Compréhension écrite et orale

1 Écoutez attentivement l'enregistrement du chapitre, puis cochez les affirmations qui sont correctes.

1 ☐ Les mousquetaires vont chercher Milady à Armentières.

2 ☐ Quand elle voit Athos, Milady essaie de s'enfuir.

3 ☐ D'Artagnan accuse Milady de l'assassinat du duc de Buckingham.

4 ☐ Lord de Winter accuse Milady d'avoir empoisonné son frère.

5 ☐ Athos accuse Milady de l'avoir épousé sous un faux nom.

6 ☐ L'homme masqué est le bourreau de Paris.

7 ☐ D'Artagnan, Lord de Winter et Athos condamnent Milady à mort.

8 ☐ C'est Athos qui exécute la condamnation.

9 ☐ D'Artagnan avoue à Richelieu que Milady a été jugée et condamnée.

10 ☐ Pour se justifier, d'Artagnan a un billet de Richelieu qui l'autorisait à faire ce qu'il a fait.

11 ☐ Richelieu se met en colère et fait exécuter d'Artagnan.

Enrichissez votre **vocabulaire**

1 Associez chaque mot à sa définition.

a le témoin

b l'accusé

c la plaidoirie

d l'avocat

1 ☐ Personne qui doit être jugée.

2 ☐ Dans un procès, personne qui défend l'accusé.

3 ☐ Discours prononcé par l'avocat pour défendre son client.

4 ☐ Personne qui est entendue pendant le procès parce qu'elle a vu ou qu'elle connaît des éléments utiles.

Dumas à l'écran et sur scène

Dumas est toujours d'actualité et le cinéma l'adore ! Les multiples aventures, les poursuites en costume d'époque passionnent tous les spectateurs de sept à soixante-dix-sept ans. L'action exalte, prend et captive. Quant aux grands sentiments, ils sont toujours de rigueur et la morale est sauve : les bons sont récompensés et les méchants punis.

Dumas au cinéma

D'Artagnan est le personnage préféré du grand écran : on a adoré de tous temps ce « défenseur de la veuve et de l'orphelin » . C'est un

beau garçon, honnête (ce qui ne gâche rien) qui plaît au public féminin. Mais il ne faut pas croire qu'il est uniquement le chouchou de ces dames ! En effet, les messieurs ont tendance à s'identifier à ce héros sans peur et sans reproche...

Affiche du film *Les Trois Mousquetaires* de George Sidney, 1948.

Image du film *Le Masque de fer* de Randall Wallace, 1997.

Ce redresseur de torts inspirera aussi bien les Français que les Américains. Alors que le cinéma n'est qu'à ses débuts, d'Artagnan arrive déjà sur les écrans. On peut citer la première version française des *Trois Mousquetaires* datant de 1919. Ce film, produit par Henri-Diamant-Berger, est interprété par Aimé Simon-Girard. La version américaine (1948) avec Lana Turner et Gene Kelly dans le rôle de d'Artagnan est plus connue. Bien entendu, cette version hollywoodienne reste dans les annales de l'histoire du cinéma. On remarquera la prestigieuse habileté du héros de Dumas. Gene Kelly, toujours alerte et bon comédien, semble évoluer sur l'écran comme dans un ballet : d'une légèreté exceptionnelle, il bondit tel un lion sur ses adversaires. Quant à Lana Turner, toujours aussi fascinante, elle incarne parfaitement la perfidie et la beauté de l'infernale Milady.

Peu de temps après, en 1953, la France réplique avec une version

plus édulcorée du roman de Dumas. En effet, le héros, interprété par Georges Marchal, perd de sa fougue et devient plus « raisonnable ». Après d'autres versions des *Trois Mousquetaires* (celles de 1961, *Les Ferrets* et *La vengeance de Milady* de Bernard Borderie), suivent des feuilletons télévisés. Il faut attendre 1994 pour que Hollywood réplique de nouveau et porte à l'écran un film qui, tout en trahissant complètement les faits relatés par Dumas, en conserve l'esprit. Bien entendu, les fans de Kiefer Sutherland (fils du très célèbre Donald) se sont régalés : il incarne un Athos dont la force est prodigieuse et la sympathie unique.

On ne peut parler des films qui s'inspirent des romans de Dumas sans citer *La Reine Margot* avec l'inquiétante Virna Lisi dans le rôle de Catherine de Médicis et la tragique Isabelle Adjani qui interprète de façon sublime l'extravagante reine Margot.

Affiche du film
La Reine Margot
de Patrice Chéreau, 1994.

On compte aussi au moins dix films qui sont des variations des *Trois Mousquetaires* (l'un des derniers, *La fille de d'Artagnan*, a été réalisé par Tavernier avec Sophie Marceau et Philippe Noiret), deux versions du *Chevalier de Maison Rouge*, six versions connues du *Comte de Monte-Cristo*. Cette liste ne s'arrête pas là, puisqu'en 1997, Gérard Depardieu a tourné *Le Masque de fer* avec Leonardo di Caprio, John Malkovich et Anne Parillaud. Alors, avis aux cinéphiles !

Dumas sur scène

Kean (1987)

Pièce de Jean-Paul Sartre, d'après Alexandre Dumas, enregistrée au Théâtre Marigny. Mise en scène et réalisation : Robert Hossein. Avec Jean-Paul Belmondo, Béatrice Agenin, Sabine Haudepin.

Belmondo dans *Kean* est un acteur au-delà de lui-même, adulé bien au-dessus de sa performance réelle : un phénomène. Kean ou le mythe de l'acteur-roi, du monstre sacré romantique : comment un cabot génial finit par n'être plus personne à force de se confronter aux grands héros du répertoire, de se laisser envahir par leurs mots, de n'exister plus que par leur folie. Entouré d'une distribution brillante, où l'on remarque surtout l'intelligence et l'habileté de Sabine Haudepin et de Béatrice Agenin, Belmondo nous offre un beau divertissement. La mise en scène de Robet Hossein ne se contente pas d'être géniale, elle joue tambour battant avec les tripes du public. Et Margot pleure et Margot rit.

Compréhension écrite

1 Lisez attentivement le dossier, puis répondez aux questions.

1 Pourquoi apprécie-t-on Dumas au cinéma ?
2 Quel est le personnage préféré du cinéma ?
3 Quelles sont les qualités de ce personnage qui plaisent aux femmes et celles qui plaisent aux hommes ?
4 Qui sont les deux actrices principales du film *La Reine Margot* ?
5 Qui a mis en scène, *Kean,* la pièce de Jean-Paul Sartre, en 1987 ?

1 Remettez les dessins dans l'ordre en suivant la chronologie de l'histoire. Écrivez ensuite une phrase qui résume chaque dessin.

2 Remplissez la grille à l'aide des définitions. Les cases en rouge vous donneront le nom d'un personnage secondaire, mais important de l'histoire.

1 Piège pour surprendre et attaquer un ennemi.
2 Tige de fer sur laquelle on fait cuire la viande.
3 Foule confuse, désordonnée.
4 Pièce métallique qui termine un lacet.
5 Synonyme de voler.
6 Somme d'argent que l'on reçoit périodiquement.
7 Chant religieux.
8 Vêtement d'homme qui allait du torse aux cuisses.
9 Bande de cuir qui se porte en bandoulière et qui soutient l'épée.
10 Autrefois, magistrat municipal.
11 Objectif à atteindre.
12 Synonyme de bateau.
13 Union de plusieurs pays contre un pays.
14 Celui qui part le premier pour observer la route.
15 Marque en cire utilisée autrefois pour fermer une lettre.

3 Cochez la ou les affirmation(s) correcte(s) pour chaque personnage.

1   D'Artagnan

a   ☐   Il est amoureux de Milady.

b   ☐   Il déteste Constance.

c   ☐   Il a 25 ans.

d   ☐   Son père ne connaît pas monsieur de Tréville.

e   ☐   Il est Gascon.

2   Athos

a   ☐   Il a environ 40 ans.

b   ☐   Il a épousé Milady.

c   ☐   Il a offert une bague en saphir à sa femme, Anne de Breuil.

d   ☐   Il part chercher le bourreau de Lille.

e   ☐   Il est réservé et il a les yeux tristes.

3   Portos

a   ☐   Il n'aime pas jouer aux cartes.

b   ☐   Il est grand et hautain.

c   ☐   Il doit se battre en duel avec d'Artagnan.

d   ☐   Il veut tuer Milady.

e   ☐   Il a un grand manteau vert.

4   Aramis

a   ☐   Il veut appartenir à l'Église.

b   ☐   Il doit se battre en duel avec d'Artagnan.

c   ☐   Il doit écrire une thèse.

d   ☐   Il voudrait que la reine donne un héritier au roi.

e   ☐   Il est violent et impulsif.